10 FEB 201

C

LE MONTE-CHARGE

DU MÊME AUTEUR
AU FLEUVE NOIR

La pelouse

FRÉDÉRIC DARD

LE MONTE-CHARGE

Fleuve Noir

Le papier de cet ouvrage est composé de fibres naturelles, renouvelables, recyclables et fabriquées à partir de bois provenant de forêts plantées et cultivées durablement pour la fabrication du papier.

© 1961, F

ISBN 978-2-265-08825-2

À PHILIPPE POIRE
mon fidèle lecteur.
Son fidèle auteur.

F. D.

8

1

LA RENCONTRE

Jusqu'à quel âge un homme se sent-il orphelin lorsqu'il perd sa mère ?

En retrouvant après six ans d'absence le petit appartement où maman était morte, il m'a semblé qu'on me passait autour de la poitrine un immense nœud coulant et qu'on serrait impitoyablement.

Je me suis assis dans le vieux fauteuil qu'elle choisissait toujours pour raccommoder, près de la croisée, et j'ai regardé autour de moi ce silence, cette odeur et ces vieux objets qui m'attendaient. Le silence et les odeurs existaient avec plus de force que le papier pisseux de la tapisserie.

Ma mère était morte quatre ans auparavant et j'avais appris ses funérailles en même temps que son décès. Au cours de ces quatre années, j'avais beaucoup pensé à elle, mais je l'avais pleurée avec mesure. Et voilà que, soudain, en franchissant la porte de notre logement, je comprenais sa mort. Je la recevais à toute volée.

Dehors c'était Noël.

C'est seulement en retrouvant Paris, les boulevards populeux, les magasins décorés et illuminés, les sapins électrifiés aux carrefours, que je m'en étais rendu compte.

Noël !

J'avais été stupide de rentrer chez nous un jour pareil.

Dans sa chambre flottait une odeur que je ne reconnaissais pas : l'odeur de sa mort. Le lit était complètement défait et le matelas roulé avait été enveloppé dans un vieux drap. Ceux qui s'étaient occupés d'elle avaient omis d'enlever le verre d'eau bénite et le rameau de buis.

Ces tristes accessoires se trouvaient sur le marbre de la commode, près d'un crucifix en bois noir. Il ne restait plus d'eau dans le verre et les feuilles du buis avaient jauni.

Quand j'ai saisi le rameau, ses feuilles sont tombées comme des petites pastilles d'or sur le tapis de la chambre.

LE MONTE-CHARGE

Il y avait ma photographie au mur, dans un vieux cadre aux moulures tarabiscotées qui avait abrité les décorations de mon père. Le cliché datait d'une dizaine d'années mais pourtant ne m'avantageait pas : j'avais l'air d'un jeune homme maladif et refoulé avec les joues creuses, le regard oblique et aux lèvres une moue indéfinissable comme seuls en ont les gens très méchants ou très malheureux.

Il fallait les yeux d'une mère pour pardonner à cette image d'être à ce point décevante et pour la trouver belle.

Je me préférais maintenant. La vie m'avait étoffé et j'avais désormais les yeux hardis et les traits apaisés.

Il ne me restait plus que ma chambre à saluer.

Rien n'y avait changé. Mon lit était fait. Les livres que j'aimais s'empilaient sur la cheminée et il y avait toujours, après la clé de l'armoire, ce petit bonhomme que je m'étais amusé à sculpter jadis dans un morceau de noisetier.

Je me suis jeté à la renverse sur le lit. J'ai reconnu le contact grenu du couvre-lit, sa bonne odeur de toile garantie grand teint. J'ai fermé les yeux et j'ai appelé, comme je le faisais autrefois, le matin, pour réclamer mon déjeuner :

— Dis donc, M'man !

Il y a des gens qui prient autrement, avec des phrases organisées. Moi, c'était tout ce que je trouvais, cet appel si simple, lancé d'un ton quotidien. Pendant un laps de temps très bref, à force de tension, à force de ferveur, j'ai espéré recevoir la réponse du passé. Je crois que j'aurais donné sans hésiter ce qui pouvait me rester à vivre pour percevoir, l'espace d'un éclair, la présence de ma mère derrière la porte. Oui, n'importe quoi, pour l'entendre me demander de sa voix toujours un peu anxieuse lorsqu'elle s'adressait à moi :

— Tu es réveillé, mon petit ?

J'étais réveillé.

Et une vie allait s'écouler avant que je ne me rendorme.

Mon appel s'est épanoui dans le silence de l'appartement, il a vibré, duré et j'ai eu le temps de sentir tout ce qu'il renfermait de détresse.

Impossible de passer la soirée ici. J'avais besoin de bruit, de lumières, d'alcool. Besoin de vie !

Dans l'armoire j'ai trouvé mon pardessus en faux poils de chameau, dûment « naphtaliné » par maman. Jadis il était un peu trop « à l'avantage » mais maintenant il me serrait aux épaules.

En l'enfilant j'ai contemplé mes autres vêtements soigneusement rangés dans des housses. Comme elle me paraissait barbare, cette garde-robe qui ne m'allait plus ! Elle me parlait de mon passé plus éloquemment que mes souvenirs.

Elle seule pouvait dire avec précision ce que j'avais été.

Je suis sorti, ou plutôt, je me suis enfui.

La concierge balayait l'escalier en maugréant. C'était toujours la même vieille femme. Alors que j'étais gamin elle avait déjà cet air épuisé de quelqu'un parvenu au bout de son rouleau. Autrefois je la jugeais terriblement âgée ; elle faisait presque plus vieux que maintenant. Elle m'a regardé sans me reconnaître. Sa vue avait baissé et moi j'avais changé.

Une espèce de pluie un peu huileuse tombait par intermittence et la chaussée luisante multipliait les lumières. Les rues étroites de Levallois étaient pleines de gens joyeux. Ils sortaient du travail avec des objets de réveillon et se pressaient vers les écaillers en plein air, emmitouflés dans de gros pulls de marins, qui éventraient des bourriches d'huîtres sous des guirlandes d'ampoules multicolores.

Les charcuteries, les pâtisseries étaient bondées. Un crieur de journaux boiteux zigzaguait d'un trottoir à l'autre en annonçant des nouvelles dont tout le monde se moquait éperdument.

J'allais, sans but, charriant au hasard cette navrance qui me poignait. Je me suis arrêté devant l'étroite vitrine d'une petite papeterie-librairie-bazar. C'était un de ces magasins de quartiers où l'on vend un peu de tout : des missels à l'époque des Premières Communions, des pétards pour le Quatorze juillet, des fournitures scolaires à la rentrée et des garnitures de crèches en décembre. Ces boutiques-là, c'était toute ma jeunesse, et je les aime d'autant plus qu'elles sont en voie de disparition.

Pourquoi ai-je éprouvé aussi intensément cette envie d'y entrer et d'acheter n'importe quoi pour le seul plaisir d'en renifler l'odeur et d'y retrouver des sensations perdues.

Quatre ou cinq clientes se pressaient dans l'étroit local. La marchande avait l'aspect d'une vieille veuve. Le genre deuil éternel ! Des senteurs de cacao sourdaient de son arrière-boutique.

J'étais heureux qu'il y eût du monde. Ça me permettait de m'attarder dans le magasin, d'en examiner les merveilles à bon marché et d'y débusquer certaines images de mon enfance qui, aujourd'hui, m'étaient particulièrement nécessaires.

L'endroit ressemblait à une grotte féerique où l'on avait accumulé des trésors scintillants. Les

14

sujets d'arbres de Noël s'entassaient sur les rayon-
nages : des oiseaux de verre, des pères Noël de
papier, des paniers pleins de fruits en coton peint
et toutes ces boules fragiles comme des bulles de
savon qui contribuent à faire d'un sapin un conte
de fées.

Mon tour est arrivé. Des gens attendaient derrière moi.

— Et pour monsieur ?

J'ai tendu le doigt vers une petite cage en carton
argenté poudré de quartz. À l'intérieur, un oiseau
des îles en velours bleu et jaune se balançait sur un
menu perchoir doré.

— Ceci ! ai-je balbutié.

— Et ensuite ?

— C'est tout.

La marchande a mis la cage dans une petite
boîte de carton et a ficelé le tout.

— Trois vingt !

En sortant de là je me sentais mieux. Je n'arrivais pas à comprendre exactement pourquoi le
fait d'acheter cet article de Noël dont je n'avais pas
l'emploi m'avait brusquement fait renouer avec le
passé.

C'était un mystère.

Je suis entré dans un tabac pour y boire un

apéritif. Le bar était plein d'hommes surexcités qui parlaient de ce qu'ils allaient faire cette nuit-là. La plupart avaient des paquets sous le bras ou dans leurs poches.

J'ai été tenté de prendre un autobus pour aller musarder sur les Grands Boulevards.

Pourtant, à la réflexion, j'ai préféré rester dans mon fief. La foule de Levallois était plus modeste, mais plus bruyante, plus chaude aussi. À chaque pas j'apercevais des figures « qui me disaient quelque chose », mais personne ne me reconnaissait.

À un carrefour, quelqu'un a crié de toutes ses forces : « Albert ! » Je me suis retourné d'un bloc. Ce n'était pas moi qu'on appelait, mais un grand gamin boutonneux, vêtu d'une veste de pâtissier à petits carreaux, qui se déhanchait sur un triporteur.

Mon vieux quartier ! Son odeur de suie mouillée et de friture ! Ses pavés mal ajustés ! Ses façades maussades ! Ses bars ! Ses chiens errants que la fourrière avait renoncé à traquer !

J'ai marché plus d'une heure, sous la pluie visqueuse, me gorgeant de mille petites émotions capiteuses et douces-amères, qui me ramenaient quinze ans en arrière. À cette époque j'allais au cours complémentaire et les Noëls possédaient encore toute leur magie.

Vers huit heures je suis entré dans un grand restaurant du Centre. C'était plutôt une sorte de brasserie traditionnelle, avec des glaces, des lambris, des boules pour les serviettes, des banquettes gigantesques, sommées de plantes rampantes, un comptoir-buffet et des garçons en pantalons noirs et vestes blanches.

Les vitres étaient munies de rideaux à grille, et, l'été, on sortait les plantes vertes sur le trottoir. L'établissement faisait « maison réputée » de province. Réputée, elle l'était d'ailleurs. Pendant toute mon enfance, quand je « tordais le nez » sur les repas de ma mère, celle-ci soupirait « Va manger chez Chiclet ! »

Et je rêvais en effet d'y manger un jour. Il me semblait que seuls des gens très riches et très considérables pouvaient s'offrir ce luxe. Chaque soir en revenant de l'étude, je m'arrêtais devant les immenses vitres du restaurant, et je contemplais, à travers la buée, l'humanité opulente qui y tenait ses assises.

Entre les repas, des messieurs importants venaient y jouer au bridge. Lorsque le moment des services approchait, les tables de jeux disparaissaient les unes après les autres, comme si elles avaient fait naufrage. Il ne restait plus qu'un îlot d'acharnés, au fond de la salle, autour duquel les garçons tournaient avec agacement…

J'y suis entré pour la première fois.

Avant mon départ, bien que j'eusse l'âge et les moyens de fréquenter cette maison, je n'avais jamais osé en pousser la porte.

Mais ce soir-là j'ai osé. Mieux : je suis entré chez Chiclet d'un pas nonchalant. En habitué.

Durant ma longue absence, j'avais tellement décidé que j'irais, j'avais tellement répété mon entrée et étudié mes gestes que j'agissais presque par routine.

J'ai eu un bref moment de flottement, à cause de l'odeur que je ne connaissais pas et que je n'avais pas pu imaginer. Ce n'était pas celle des restaurants ordinaires. Cela sentait l'absinthe et les escargots, le vieux bois aussi.

Dans le fond de la salle on avait dressé un sapin gigantesque, enrubanné de guirlandes électriques et de cheveux d'ange, qui donnait à la brasserie vieillotte un air de kermesse.

Les garçons avaient épinglé un minuscule morceau de houx sur leurs vestes blanches et, au bar, les propriétaires, M. et Mme Chiclet, offraient l'apéritif aux vieux clients.

Ce couple avait une très haute idée de ses fonctions d'hôte. Toujours tirés à quatre épingles, le mari et la femme donnaient l'impression de recevoir des invités.

Elle était assez forte, un peu caissière-du-grand-café, malgré ses robes sombres et ses bijoux massifs. Lui était un homme blafard, aux cheveux rares collés sur le sommet du crâne et aux costumes surannés. Il devait être président d'un tas de sociétés corporatives et avait toujours des gestes de prélat pour réclamer la parole ou pour l'offrir.

Le service venait à peine de commencer et les clients étaient encore peu nombreux. Un garçon aux pieds écartés est venu me prendre en charge. Il m'a aidé à quitter mon pardessus, l'a accroché à un portemanteau circulaire, et m'a demandé, en désignant la salle d'un hochement de menton :

— Vous avez une préférence ?

— Près du sapin, si c'est possible…

J'aurais bien aimé amener ma mère chez Chiclet. Elle n'y était jamais entrée. Toute sa vie elle avait dû en rêver, elle aussi !

Je me suis installé sur la banquette, face au sapin, et j'ai commandé un menu délicat. J'étais bien, tout à coup. Bien, comme lorsqu'on a très faim et qu'on va manger ; bien comme lorsqu'on a très sommeil et qu'on se couche. Le seul vrai plaisir de ce monde, c'est l'assouvissement.

Ce que j'assouvissais en ce moment, ce n'était pas un appétit, mais un rêve d'enfant.

Je me suis mis à compter les ampoules de l'arbre. Elles me fascinaient. Comme j'achevais ces mathématiques inutiles, une petite voix a gazouillé, tout près de moi :

— C'est joli !

Je me suis retourné et j'ai découvert, à la table voisine, une petite fille de trois ou quatre ans, assez laide, qui contemplait elle aussi le sapin.

Elle avait une tête un peu trop grosse, un visage plat, des cheveux châtains-roux et un nez comme un radis. Elle ressemblait à ce que fut Shirley Temple à sa période d'enfant prodige. Oui, c'était tout à fait cela : une Shirley Temple laide.

L'enfant était accompagnée d'une jeune femme, sans doute sa mère. Cette dernière avait vu mon mouvement vers elles et me regardait en souriant, comme sourient toutes les mères lorsqu'on regarde leurs enfants. J'ai eu un choc.

Cette femme ressemblait à Anna. Elle était brune, comme Anna, avec les mêmes yeux sombres en amande, le même teint bistre et cette bouche spirituelle et sensuelle qui me faisait peur. Elle pouvait avoir vingt-sept ans, l'âge qu'aurait eu Anna. Elle était très jolie, habillée avec élégance. La petite fille n'avait ni ses yeux, ni ses cheveux, ni son nez, malgré tout elle arrivait à lui ressembler.

— Mange ton poisson, Lucienne !

Docile, l'enfant a piqué un menu morceau de filet de sole dans sa trop grande assiette. Elle l'a porté maladroitement à sa bouche, sans cesser de regarder le sapin.

— Il est gros, hein ?

— Oui, ma chérie.

— Il a poussé ici ?

J'ai ri. À nouveau la femme m'a regardé, contente de ma réaction. Elle a soutenu mon regard quelques secondes avant de baisser lentement la tête, comme si je la troublais. Je me suis décoché une œillade dans l'immense glace qui me faisait face. Je n'étais pas mal : le genre « marqué par la vie ». À trente ans, les rides ont du charme. J'en possédais toute une série au coin des yeux, plus une ou deux, très marquées au front.

C'était étrange, cette jeune femme et sa petite fille, dans ce restaurant, un soir de Noël. La vue de ces deux êtres me serrait le cœur. Je trouvais leur solitude à deux plus tragique que la mienne, qui était somme toute une vraie solitude, une solitude facile.

La paix dans laquelle je baignais depuis mon entrée chez Chiclet s'est trouvée ternie, brusquement. Toute ma vie j'avais souffert de ces chutes de tension. Je n'étais jamais sûr de la seconde qui allait suivre. Il y avait en moi une inquiétude sans cesse aux aguets. Je sécrétais l'angoisse depuis mon enfance. Une angoisse douloureuse à laquelle j'avais fini par m'accoutumer au cours de ces six dernières années.

J'ai mangé mes belons, puis mon faisan-pommes-paille en buvant une bouteille de vin rosé. De temps à autre, je profitais d'une réflexion de la petite fille pour regarder sa mère et chaque fois je ressentais le même choc en constatant sa ressemblance avec Anna. Notre manège s'est prolongé pendant tout le repas. Je dis notre manège, car la jeune femme était pour ainsi dire entrée dans le jeu. Lorsque je tournais la tête vers elle, elle tournait la sienne vers moi. Et, avec une régularité déconcertante, son visage exprimait tour à tour : l'intérêt, la tristesse et la pudeur.

Nous avons achevé nos repas presque ensemble. La lenteur de l'enfant avait compensé mon retard.

La femme a commandé un café et l'addition. J'en ai fait autant.

Maintenant le restaurant était comble. Les garçons couraient. On entendait crier des ordres à l'office, comme dans la chambre des machines d'un navire. Les conversations montaient. On se serait cru dans un hall de gare. Le tintement des fourchettes et des verres, les petites explosions des bouchons arrachés, composaient une musique allègre, un hymne à la basse jouissance qui, maintenant que j'avais dîné, me répugnait confusément.

Des clients attendaient au comptoir des tables disponibles, ostensiblement tournés vers la salle. Nos additions n'ont pas traîné ; en rapportant la monnaie, les garçons tenaient déjà nos vestiaires, et des affamés, ravis d'avoir la place, assiégeaient déjà nos tables.

La femme a boutonné le vêtement de drap à col de velours de sa petite fille, avant de passer le manteau d'astrakan que le serveur tenait déployé devant lui, et qui lui donnait l'aspect d'une monstrueuse chauve-souris.

Nous nous sommes retrouvés ensemble à la porte. J'ai tenu le battant ouvert. Elle m'a remercié et j'ai reçu son regard pathétique à bout portant. Un regard indéfinissable que j'aurais pu contempler pendant des heures, sans bouger, sans parler et peut-être même sans penser.

Elles sont sorties. La petite lui chuchotait des choses que je n'entendais pas, et qu'elle n'avait pas l'air d'écouter.

La pluie avait cessé et le froid revenait. Un froid bizarre d'hiver trop doux. Il n'y aurait décidément pas de neige. Les autos se faisaient rares. Elles passaient en crachant de la boue fluide. Quelques magasins commençaient de fermer. Je demeurais piqué devant le restaurant, sans savoir ce que j'allais faire. J'avais encore en moi le regard de la femme ; il tardait à s'évanouir.

Elle s'est retournée à deux reprises, tandis qu'elle s'éloignait. Son geste n'avait rien d'aguichant. Rien de peureux non plus. C'était un bref coup d'œil en arrière, très instinctif, je le sentais. Elle voulait s'assurer si j'allais les suivre. Elle ne le redoutait pas, ne l'espérait pas non plus.

J'ai pris la même direction. J'insiste : je ne les suivais pas. Si j'optais pour la même rue qu'elle, c'est qu'elle conduisait à mon appartement.

Nous avons parcouru quelques centaines de mètres, à bonne distance l'un de l'autre. Puis il y a eu un carrefour, et je les ai perdues de vue. C'était normal. J'ai ressenti un pincement désagréable dans la poitrine, mais j'acceptais cette séparation aussi fortuite que notre rencontre. Simplement je me suis senti triste ; triste comme il y a six ans, quand j'avais vu Anna morte. Une tristesse incrédule. Quelque chose en moi refusait cette séparation.

J'ai poursuivi ma route en gardant le cap sur l'appartement.

Comme j'arrivais devant un cinéma, je les ai aperçues dans le hall, en contemplation devant des photos de film.

C'était la mère qui les regardait. La petite, elle, n'avait d'yeux que pour le sapin maigrelet décorant le hall.

Un sapin étique, poussé dans un jardin de banlieue, et dans les branches duquel on avait fourré, en guise d'ornement, des portraits de vedettes.

Je connaissais bien le cinéma. C'était le « Majestic ». J'y avais vu tant de westerns, qu'à l'époque j'aurais pu donner le titre de chacun rien qu'en écoutant quelques mètres de la bande sonore.

Je suis entré dans le hall. La femme m'a aperçu. On eût dit qu'elle s'attendait à me voir surgir. Cette fois elle m'a à peine regardé, mais une brusque pâleur a vidé son visage.

J'ai compris que si je la laissais gagner la caisse avant moi je n'aurais pas le courage de la suivre. Alors j'ai pris les devants. Dans la vitre du guichet je l'ai vue qui s'approchait. J'ai payé ma place. Je me suis écarté. Elle était là, tenant sa petite fille par la main.

— Deux places.

Comme au restaurant, je lui ai tenu la porte ouverte ; et comme au restaurant elle m'a regardé « en profondeur ». Cette fois, elle a balbutié, timidement : « Merci ».

La séance était commencée. On donnait un documentaire sur l'Ukraine : une plaine couverte d'épis s'étendait à l'infini.

Une ouvreuse s'est précipitée sur nous en faisant des effets de lampe électrique. La femme lui a remis deux billets. L'ouvreuse, qui n'avait sans doute pas vu la petite, a cru que nous étions ensemble et nous a placés côte à côte dans une travée assez avancée.

Mon cœur cognait à toute volée, comme le jour où j'étais sorti avec Anna pour la première fois. Je me tenais immobile dans mon fauteuil, le buste droit, les yeux rivés sur l'écran, sans rien voir de ce qui s'y déroulait ; sans entendre autre chose que les battements désordonnés de mon cœur. Je sentais la chaude présence de cette femme et j'étais bouleversé. Le parfum de son manteau me chavirait.

Sa fille posait des questions, à voix haute, et la mère se penchait à tout moment vers elle en murmurant :

— Tais-toi, Lucienne. Il ne faut pas parler !

L'enfant a fini par se taire. D'ailleurs le documentaire s'achevait et les lumières sont revenues.

J'ai retrouvé mon cher vieux ciné. On ne l'avait pas repeint. Il avait toujours sa méchante couleur lie-de-vin, ses tentures en peluche cramoisie, ses fauteuils geignards, et ses plantes vertes en carton peint au bas de l'écran.

Une ouvreuse est passée avec sa corbeille de friandises, en récitant celles-ci d'une voix nasillarde et indifférente.

— Des bonbons ! a demandé la fillette.

C'était l'occasion unique, une entrée en matière sans originalité certes, mais idéale. Je me trouvais entre l'ouvreuse et ma voisine. Je pouvais acheter un paquet de bonbons et le tendre à l'enfant en murmurant un « Vous permettez, Madame » irréfutable.

Au lieu de cela, je suis resté crispé, renfrogné. Je n'ai même pas eu un geste pour servir de relais lorsque l'ouvreuse a brandi le paquet de bonbons.

L'entracte s'est terminé. J'avais hâte de voir s'engloutir les lumières. Hâte de retrouver cette intimité pleine de réticence. J'ignorais jusqu'au titre du film. C'était le cadet de mes soucis.

Des lettres se sont mises à défiler sur l'écran, mais je n'avais pas envie de les lire.

Je retrouvais le bien-être suave que m'avait apporté le restaurant. C'était avant tout un sentiment de sécurité. La certitude d'avoir à vivre quelques instants de vrai bonheur.

La petite fille s'est endormie. Elle a commencé à geindre un peu, en cherchant une position confortable sur son fauteuil ; mais elle n'y parvenait pas. Alors sa mère l'a prise sur ses genoux. Les jambes de l'enfant ont heurté les miennes.

— Excusez-moi, a murmuré ma voisine.

— Ce n'est rien. Je… Vous pouvez l'allonger.

Elle a au contraire enserré les chevilles de la petite avec sa main pour l'empêcher de me donner des coups de pied.

Cette main m'hypnotisait. J'ai attendu un peu, en essayant de refouler l'envie qui me prenait de la saisir, doucement, et de la garder dans la mienne. J'avais besoin de ce contact. Je l'imaginais. Ma peau devinait la sienne. J'aurais pu essayer de ruser, ou plutôt de tricher un peu. Choisir une pose sur l'accoudoir, qui m'aurait permis d'approcher mes doigts de façon quasi naturelle et d'effleurer les siens de telle manière qu'elle ne puisse s'en offusquer.

Encore une fois je n'osais pas.

Je me suis tourné vers elle. Elle aussi m'a regardé. Et ç'a été tellement simple que j'ai cru mourir d'extase en voyant combien était puissante ma volonté.

J'ai pris sa main. Elle a lâché les jambes de l'enfant. Nos doigts se sont ouverts, puis se sont refermés comme pour une prière commune. C'était une sensation étrange, voluptueuse, farouche.

Je me sentais puissant, et six années, en un instant, venaient d'être abolies. J'étais avec Anna. Elle vivait toujours ; elle m'aimait. Elle me donnait sa chaleur, je lui communiquais ma force.

Pourquoi avais-je envie de me tourner vers cette inconnue et de lui dire :

— Je vous aime.

Parce que je l'aimais vraiment ?

Beaucoup de gens s'imaginent que l'amour est un sentiment qui a besoin d'être « installé », que c'est un aboutissement. Je sais bien que non, moi qui ai aimé Anna et cette femme au premier regard que nous avons échangé, elles et moi.

Nous sommes restés longtemps, ainsi, nos doigts emmêlés, à faire l'amour avec les mains. Puis la petite fille a lancé quelques ruades et s'est mise à pleurer dans son sommeil. Sa mère a retiré sa main, et ç'a été pour moi comme un déchirement.

Elle a chuchoté à l'enfant endormie :

— Nous allons rentrer, ma Lucienne. Tu vas retrouver ton dodo…

Elle parlait pour moi.

— Si vous me permettez, ai-je balbutié.

J'ai saisi la petite fille, je l'ai assurée dans mes bras et je me suis levé. Elle était lourde ; elle sentait encore le bébé, et, dans le sommeil, son petit visage ingrat devenait beau et émouvant.

J'ai remonté l'allée latérale au côté de la femme. J'avais l'impression de la connaître intimement. Sa démarche avait un rythme qui m'était familier. Une fois dans le hall nous nous sommes regardés à la lumière crue du néon souffreteux. Elle paraissait un peu crispée et j'ai craint que ce ne fût une réaction contre mes audaces.

Pourtant, ne les avait-elle pas encouragées ?

— Vous avez une voiture ?

— Non, j'habite assez près d'ici, Monsieur.

Elle a avancé ses bras en berceau.

— Je vous remercie… Elle n'a pas l'habitude de veiller.

— Je vous accompagne !

Elle s'y attendait sûrement, et malgré tout, quelque chose – je ne sais quoi – a chancelé dans son regard. Elle est restée immobile, avec ces bras tendus vers l'enfant. Puis elle les a laissés glisser le long de son corps.

— Merci.

Et elle s'est mise en route sans s'occuper de nous. J'avais du mal à la suivre car la fillette pesait de plus en plus lourd. C'était la première fois de ma vie que je tenais un enfant dans mes bras et je n'aurais jamais pensé que ce fût aussi émouvant. J'avançais avec précaution : je craignais de tomber avec mon précieux fardeau.

Nous sommes allés ainsi, l'un derrière l'autre, jusqu'au bout de la rue ; ensuite elle a tourné à droite, en direction d'un quartier neuf que je ne connaissais pas car il n'était qu'ébauché au moment de mon départ.

L'endroit était moins éclairé. Il n'y avait plus de magasins, plus d'éventaires d'écaillers, plus de sapins, sinon dans les appartements, et on devinait leurs éclairages multicolores à travers les vitres.

Des constructions claires se dressaient dans

l'ombre. C'est vers elles que la femme s'est dirigée. Pas une fois elle ne m'a adressé la parole au cours du trajet. C'était à croire qu'elle nous avait oubliés, sa fille et moi.

À deux ou trois reprises, la petite s'est débattue et j'ai dû la presser contre ma poitrine pour la faire tenir tranquille. Ce devait être une gamine très nerveuse.

On entendait des télévisions et des radios. Des gens entonnaient le « Minuit Chrétiens » bien qu'il fût à peine dix heures. Mais ces bruits composaient une sorte de fond sonore irréel; seul était vrai le martèlement régulier de nos pas sur le trottoir mouillé.

Je n'en pouvais plus lorsqu'elle s'est arrêtée devant un portail de fer tout neuf, sur lequel était peint en caractères jaunes sertis de noir :

Ets J. DRAVET – Brochage

Elle a tiré une clé de sa poche et a poussé le vantail. La minute de vérité était arrivée. Je louchais sur l'espace sombre, mystérieux, qui s'étendait au-delà du portail entrouvert. Je distinguais confusément une cour où deux camions étaient remisés. Au fond s'élevaient des bâtiments à deux étages dont les larges verrières captaient les reflets du lampadaire flanqué à l'angle de la rue. Tout était noir, neuf, silencieux.

Nous avons échangé le même regard que dans le hall du cinéma.

— Voilà, a-t-elle murmuré, et elle a ajouté ces mots peut-être très simples, mais qui, par la suite, devaient revêtir une étrange signification.

— *C'est ici !*

Était-ce une prise de congé ?

Était-ce plutôt une invitation ?

Le plus simple au fond était de le lui demander.

— Dois-je vous laisser ici ?

Elle est entrée, sans répondre.

C'était une invitation.

2

LA PREMIÈRE VISITE

De chaque côté de la cour, se dressaient des montagnes de papier en rames, abritées par des verrières.

Tout le fond était occupé par des ateliers. Sur la droite, il y avait une large porte de fer, peinte en noir et portant le mot « privé », grossièrement barbouillé au pochoir.

La femme a ouvert cette porte. Elle a passé la main à l'intérieur et a actionné un commutateur, mais aucune lumière n'a jailli.

— C'est vrai, a-t-elle murmuré, sans me donner davantage d'explications.

Elle m'a pris le bras et m'a guidé dans le noir. Je m'enfonçais au cœur de l'obscurité, d'un pas d'aveugle, effrayé à l'idée de cogner la tête de l'enfant.

Ma compagne s'est arrêtée. Elle a tâtonné un peu, puis a fait coulisser la porte d'un ascenseur.

— Nous allons prendre le monte-charge ! a-t-elle déclaré.

À sa suite j'ai pénétré dans une vaste cage de métal. Par la grille qui lui servait de plafond, j'apercevais, deux étages plus haut, une trappe de verre d'où tombait une très vague lueur.

— Vous devez être fatigué ? a-t-elle chuchoté, dans le noir. Elle est lourde, n'est-ce pas ?

Je sentais sa hanche contre moi. J'aurais voulu que cela durât toute la nuit.

La cage d'acier s'élevait assez lentement. Elle s'est brusquement immobilisée. Ma compagne a fait coulisser la porte et l'a tenue ouverte pendant que je sortais avec l'enfant.

— Prenez garde, il y a une marche.

J'ai fait un grand pas. Elle me tenait par le bras, ses ongles s'incrustaient dans ma chair. Sans doute redoutait-elle que je laisse tomber la petite ?

L'obscurité était épaisse, car l'étroite verrière percée tout en haut de la cage du monte-charge ne suffisait pas à éclairer le palier.

Il lui a fallu une troisième clé pour ouvrir la porte de son logement.

Cette fois le commutateur a rempli son office. Je me suis trouvé dans un vestibule peint en blanc. En face de la porte d'entrée, une double porte vitrée ouvrait sur un salon.

Elle m'y a conduit. Cette succession de portes me donnait l'impression d'avancer dans un surprenant labyrinthe.

Pourquoi étais-je aussi angoissé ? Que pouvait-il y avoir de plus rassurant que cette jeune mère et son enfant endormie ? Quelle image plus fraîche et plus apaisante pouvais-je espérer ?

La pièce, blanche comme le couloir, n'était pas grande, et un sapin de Noël en occupait une bonne partie. Combien d'arbres magiques avais-je déjà trouvés sur ma route au cours de cette journée ? Une véritable forêt de Noël !

Celui-ci était décoré de bougies véritables qui lui donnaient beaucoup plus de caractère que ces guirlandes électriques dont on avait affublé tous les autres. Des sujets discrets pendaient au bout des branches.

— Nous avons dû enlever quelques meubles à cause de l'arbre, expliqua la femme ; dans sa forêt il devait sembler tout petit, mais ici !

Il restait un canapé de cuir, un fauteuil, un bar roulant, et, sur une table basse, un tourne-disque.

— Asseyez-vous et servez-vous à boire ! Je vais aller coucher Lucienne, j'en ai pour quelques minutes ! Vous aimez Wagner ?

Elle a déclenché l'électrophone, l'a réglé et d'un mouvement gracieux m'a repris son enfant. Elle semblait attendre quelque chose.

— Eh bien, que buvez-vous ? demanda-t-elle.

— Ma foi, cela dépend de ce que vous avez à me proposer, ai-je plaisanté.

Pour la première fois depuis que je connaissais cette femme, je parvenais à avoir l'air d'autre chose que d'un loup affamé.

— Oh ! il y a un peu de tout : du cognac, du whisky, du cherry…

— Alors je prendrai un peu de cognac.

Elle s'est avancée, attentive. Pourquoi tenait-elle donc absolument à ce que je me serve à boire ? Je n'aimais pas me servir. C'était une mauvaise habitude que m'avait donnée Maman. Elle avait toujours servi tout le monde chez nous, et quand nous avions des invités, il lui arrivait de saisir leurs assiettes d'autorité.

— Le cognac, c'est la grosse bouteille, à gauche.

Je l'ai empoignée et j'ai retourné un verre ballon

38

qui était posé à la renverse sur un napperon blanc. Timidement j'ai versé une rasade d'alcool.

Elle a eu un sourire.

— Vous m'excusez, n'est-ce pas ?

— Je vous en prie.

Elle est sortie en refermant la porte. J'ai déboutonné mon pardessus et, pour me donner une contenance, je suis allé contempler l'arbre. Curieuse soirée décidément !

J'ignorais jusqu'où irait l'aventure, mais j'étais certain que c'en était une !

En mettant la main à ma poche, mes doigts ont rencontré les arêtes de la petite boîte en carton contenant mon achat de la soirée. Alors il m'est venu une idée : accrocher dans cet arbre la cage aux paillettes d'argent qui contenait l'oiseau jaune et bleu. Cette pensée m'a procuré un rare bonheur. Dieu m'accordait un sourire, en cette nuit de Noël. Oui, le simple fait de déballer et de fixer à la palme piquante d'un sapin cet objet de bazar me causait une joie très pure.

Je me suis reculé pour examiner la cage. Si je l'avais fabriquée de mes propres doigts, je n'aurais pas ressenti plus d'orgueil. Elle dansait au bout de sa branche, comme une clochette, en faisant pleuvoir un peu de sa poudre de quartz. L'oiseau de velours se balançait à l'intérieur. C'était mon enfance disparue que je contemplais avec un indicible émerveillement.

J'ai écrasé la boîte de carton et l'ai glissée dans ma poche. Mon offrande à l'arbre devait rester clandestine pour avoir un petit côté surnaturel.

Peut-être que mon hôtesse et sa fille l'ignore-raient, mais peut-être aussi la découvriraient-elles et se perdraient-elles en conjectures.

J'ai jeté mon pardessus sur le canapé et pris mon verre de cognac. Je n'en avais pas bu depuis très longtemps. Celui-ci était de première qualité. À la première gorgée je me suis senti très euphorique. Un coup de bonheur, quoi !

Mon hôtesse est revenue un quart d'heure après. Ce qui m'a surpris, c'est qu'elle avait gardé son manteau d'astrakan. Elle a suivi mon regard et a paru réaliser.

— Ce pauvre chou avait un tel sommeil ! a-t-elle dit en quittant son manteau.

Puis elle s'est approchée du petit bar roulant.

— Voyons, que vais-je boire ? Un Cointreau, peut-être ? Ou un cherry ?

Elle élevait la voix à cause de la musique très cuivrée.

Je la regardais avec une secrète admiration.

J'aimais sa grâce et son aisance. Elle avait des gestes simples et expressifs, pas du tout fabriqués. C'était pour moi un merveilleux spectacle que de la voir évoluer dans la pièce, se verser un doigt de cherry, lever son verre pour m'adresser un toast muet et tremper ses lèvres dans le liquide rubigineux.

J'avais mal aux épaules d'avoir porté sa fille si longtemps. Pour me relaxer, je gardais les bras pendant le long de mon corps.

Elle est allée baisser l'intensité de l'électrophone.

— Vous habitez le quartier ?

— Oui, Madame. Mais je l'ai quitté pendant six ans et je n'y suis revenu que cet après-midi.

— Ça doit être émouvant, un soir de Noël surtout !

Elle avait une voix calme, aux inflexions un peu sourdes. Une voix qui allait parfaitement avec ses gestes mesurés.

— Vous êtes revenu parce que c'était Noël ?

— Non. C'est tombé comme ça.

— Vous étiez loin ?

— Très loin, oui.

Le disque s'est achevé. Elle a coupé le contact et il y a eu un silence. Sentant ma réticence, elle hésitait à me questionner. Et pourtant j'avais envie d'être questionné. Je voulais bien parler à condition de ne pas prendre l'initiative de la conversation. Il me fallait une certaine mise en route.

— Vous êtes peut-être attendu pour réveil-lonner ?

— Non, Madame. J'étais seul, comme vous. Et vous l'avez bien senti ?

Elle a détourné les yeux.

— C'est vrai.

Puis, au bout d'un instant de méditation :

— Je voudrais…

— Vous voudriez ?

— Dissiper toute équivoque, que mon… comportement pourrait faire naître dans votre esprit, Monsieur…

Elle avait eu du mal à s'exprimer et elle paraissait terriblement gênée.

— Quelle équivoque ?

— Eh bien, je suppose que lorsqu'un Monsieur s'assied dans un cinéma au côté d'une dame qu'il ne connaît pas ; que lorsque ce monsieur prend la main de cette dame et que la dame ne retire pas sa main, le monsieur doit s'imaginer qu'il vient de faire une conquête facile ?

J'ai secoué la tête.

— Il ne m'a pas été facile de prendre votre main, ni à vous de me la laisser prendre.

Elle a bu une gorgée de cherry, délicatement.

— Je suppose que vous ne me croirez pas si je vous dis que c'est la première fois qu'une chose semblable m'arrive ?

— Pourquoi ne vous croirais-je pas, surtout pendant une nuit consacrée au merveilleux ?

Elle m'a décoché un de ses étranges et doux sourires si bouleversants.

— Merci. J'ai aimé que vous me preniez la main… J'étais dans une telle détresse.

— Et moi donc !

— Vous voulez me raconter ?

— Oh ! Mon drame est très intérieur. Une fois raconté avec des mots, il perd tout mystère et toute intensité, vous savez…

— Essayez tout de même.

— Il y a sept ans, je venais de passer mon diplôme d'ingénieur A. M. et de trouver une belle situation lorsqu'il m'est arrivé un grand malheur.

— Lequel ?

— Je suis tombé amoureux.

— Ç'aurait pu être un grand bonheur, non ?

— Je l'ai cru. Au début, en fait, c'en a été un. Seulement elle était mariée et c'était la femme de

43

mon patron… Nous nous sommes enfuis. J'ai tout quitté, ma vieille mère qui s'était échinée pour me permettre de faire des études, ma situation, tout, quoi !

— Et alors ?

Depuis des années je n'avais plus parlé d'Anna à qui que ce fût. Des images ensevelies revenaient à la surface. Je voyais Anna dans notre lit d'hôtel avec un sein hors de sa chemise de nuit. Ou bien Anna, les cheveux au vent, au bord de la mer. Anna riant ! Anna pleurant ! Anna morte !

— Elle est morte !

— Oh ! oui. Ça a dû être terrible.

— Terrible, en effet. À la suite de ça je… suis parti.

— Je vous comprends.

— Et, pendant mon absence, Maman est morte à son tour. Maintenant, le monde est devenu pour moi un cimetière sans croix, il est plein de tombes et de fantômes.

« Et je suis revenu aujourd'hui dans cet univers saccagé. J'ai retrouvé notre petit appartement, à deux pas d'ici. En guise de sapin de Noël, il y avait un rameau de buis jauni dans un verre ayant contenu de l'eau bénite. Je n'ai pas pu tenir le coup, je suis ressorti. Et je vous ai vue, au restaurant, avec votre petite fille. Pour moi, vous représenterez toujours la vie !

— C'est beau ce que vous me dites. Pouvoir être pour quelqu'un ce qu'on est si peu pour soi-même, voilà qui réconforte !

Je lui ai tendu ma main, elle y a mis la sienne. Cette fois ce n'était plus une pression de doigts effarouchés dans le noir, ce n'était plus un contact resquillé, mais un acte délibéré, un geste de solidarité humaine plus qu'une caresse volée.

— Parlez-moi de vous, puisqu'on se raconte…

— Moi je suis de l'autre côté.

— C'est-à-dire ?

— Du côté de ce monsieur à qui vous avez pris sa femme.

Elle s'est tue. J'avais soif de savoir, mais je n'osais brusquer ses confidences. Elle a fixé ma main un moment. J'ai eu honte car je ne possédais plus des mains d'intellectuel.

— Pour moi aussi ça fait sept ans ! J'étais aux Beaux-Arts. Je voulais être décoratrice de cinéma. J'ai rencontré l'homme qui devait devenir mon mari. Il était très beau, il était riche, il avait une voiture sport qui m'impressionnait beaucoup. Les filles de maintenant épousent souvent des autos. C'est un mal du siècle !

« J'ai cru qu'il m'apportait le Paradis sur le porte-bagages chromé de sa Jaguar. Lorsqu'il m'a demandé de l'épouser je n'ai pas dit « oui » ; je l'ai hurlé ! Il y a eu un peu de tirage avec la famille car je n'avais pas de fortune. Mon père est ancien officier. Quand les Dravet ont su que papa pourrait se mettre en uniforme pour le mariage ils ont mis les pouces. Un colonel, ça fait tellement bien dans une noce.

Elle s'est tue de nouveau, comme pour laisser affluer ses souvenirs. Alors ça m'a repris comme au cinéma : j'ai eu envie de lui dire que je l'aimais.

— Puisqu'on est Noël, je peux vous dire que je vous aime ?

— Oh ! oui, vous pouvez ! Vous pouvez ! Il y a si longtemps que personne ne me l'a dit !

— Continuez.

— Mon histoire vous intéresse ?

— Ce n'est pas une histoire.

— Non, a-t-elle murmuré, même pas !

« Je me suis donc mariée à ce fringant garçon. Sa famille lui a fait bâtir cette petite usine de bro-chage. Lucienne est née…

— Pour vous aussi ç'aurait pu être le bonheur, non ?

— Pour moi aussi. Seulement, dans la vie, il

y a toujours un décalage, et c'est ce décalage qui détruit tout.

« Dans votre cas, le décalage venait du fait que vous aimiez la femme de votre patron.

— Et dans le vôtre ?

— Il est venu du fait que Lucienne est née six mois après notre union, et sept mois après ma première rencontre avec Jérôme. Et c'était le plus beau bébé de la maternité. Pas du tout le genre couveuse, a-t-elle ajouté avec un humour amer.

Son histoire était aussi classique que la mienne mais beaucoup moins romanesque. Elle a soupiré :

— Dans l'industrie on ne plaisante pas avec ça !

— Divorce ?

— Dans l'industrie catholique on ne divorce pas !

— Vous n'aviez pas… heu, prévenu votre fiancé de… de vos espérances ?

— Non. Je ne… Comment vous dire ces choses sordides ? Je ne les espérais plus, ces espérances-là. Avant de rencontrer Jérôme, je m'étais livré à certaines… Oh ! soyons conformiste : à certaines « manœuvres ». Je vous dis que tout cela est sordide !

— Ensuite ?

— Ç'a été dramatique : rupture des relations avec la belle famille. Et puis désaffection, c'est le mot, très rapide du mari. Au début, ça ne se passa pas trop mal car il prit des maîtresses. Mais un jour il n'en eut qu'une seule, et mon existence devint un calvaire.

« Je ne le vois presque plus. Il vient en bas pour s'occuper de l'affaire. Quand il monte jusqu'ici, c'est pour gifler Lucienne ou me traiter de grue.

Elle m'a versé une forte rasade de cognac ; elle-même s'est servi encore un peu de cherry.

— Bizarre nuit de Noël, n'est-il pas vrai ? a-t-elle poursuivi. Nous nous sommes rencontrés il y a une heure. Je ne connais pas votre nom, et vous ne connaissez que celui de mon mari. Et pourtant nous venons de nous raconter nos vies, d'une traite.

— Pardonnez-moi, madame. Je m'appelle…

Elle a vivement mis sa main devant ma bouche.

— Non, je vous en supplie, ne vous nommez pas. C'est tellement mieux ainsi. Nous avons le temps… Maintenant je voudrais vous demander une chose…

— Tout ce que vous voudrez.

— Sortons ! La petite dort et elle a le sommeil

profond. Je peux me permettre de la laisser seule une heure ou deux. J'aimerais aller regarder Noël, dehors, au bras d'un homme.

— Au bras « d'un » homme ? ai-je soupiré.

Elle a eu un transport d'enthousiasme.

— Oh ! mon Dieu ; c'est une phrase d'homme jaloux, ça ! Voyez-vous, c'est peut-être cela qui me manque le plus : la jalousie...

Elle allait ajouter « d'un homme », s'est arrêtée à temps et a éclaté de rire.

— Vous venez ?

Elle a pris mon verre que j'avais déposé sur la cheminée et l'a mis sur la tablette supérieure du bar roulant. Ce devait être une femme méticuleuse, ennemie du désordre.

Elle a éteint la lumière du salon, puis celle du vestibule. À nouveau ç'a été le palier obscur.

— L'ampoule est grillée depuis deux jours, a-t-elle annoncé.

Elle prit ma main et ouvrit la porte du monte-charge. Pendant la descente elle ne la lâcha pas. J'ai aimé cette curieuse sensation d'engloutissement que procure toujours la plongée d'une cabine d'ascenseur.

Maintenant les rues étaient tranquilles. Le ciel devenait clair et la nuit luisait comme du métal poli, à cause du gel. Les magasins étaient éteints. Parfois, un groupe de fêtards débouchaient d'un carrefour en poussant des rires forcés.

Nous nous tenions par le bras, elle et moi, et nous avancions à petits pas heureux dans les rues vides qui maintenant paraissaient immenses.

L'horloge lumineuse d'un carrefour indiquait onze heures moins vingt. Nous croisâmes un mendiant ivre qui me demanda l'aumône.

— Vous croyez, vous, que la nuit de Noël n'est pas une nuit comme les autres ? m'a-t-elle demandé.

— Bien sûr, puisque les hommes en ont décidé ainsi !

— Vous n'avez pas la foi ?

— Cela dépend des jours. Je suis le contraire des autres : j'ai la foi lorsque je suis heureux.

— L'avez-vous en ce moment ?

— Oui.

Son bras s'est fait pressant. Je sentais sa bonne chaleur de femme s'épandre dans mon corps. Un confus désir d'elle me tenaillait depuis que nous marchions ainsi, avec nos hanches qui se frôlaient.

À un certain moment, je l'ai sentie frissonner.

— Vous avez froid ?

— Un peu.

— Voulez-vous que nous entrions dans un bar?

— Je n'ai pas envie de voir des gens…

Soudain, quelque chose m'a frappé : l'incohérence de tout cela. Par la pensée, j'ai pris de la hauteur et j'ai contemplé ce quartier comme on contemple la maquette d'une ville future.

Il y avait l'appartement de cette femme, avec une petite fille endormie; le mien, si funèbre, si désolé… Et ces rues froides où nous déambulions d'une démarche de somnambule…

Elle s'est arrêtée brusquement.

— J'aimerais que vous m'emmeniez chez vous !

J'ai à peine été surpris.

— Je n'ose pas.

— Pourquoi ?

— C'est sinistre, et puis inhabité depuis tellement longtemps.

— Aucune importance. Je voudrais me rendre compte.

— Vous rendre compte ?

— Ça vous ennuie ?

— Ça me gêne, mais si vous y tenez.

Et nous avons pris ma rue. Elle était très médiocre et plus mal éclairée que les rues avoisinantes. Un chien longeait le trottoir d'en face d'une allure satisfaite, en paraissant savoir où il allait, s'arrêtant gravement parfois pour flairer un mur.

— Voilà, ai-je dit en m'arrêtant devant l'immeuble.

Sa façade décrépie ressemblait à une brûlure mal guérie. La porte en était restée ouverte et un courant d'air perfide, chargé de mauvaises odeurs, soufflait sous le porche.

À tâtons, j'ai cherché la minuterie. J'avais perdu l'automatisme de ce genre de geste. Une habitude de vingt ans s'était émoussée à cause de mon éloignement prolongé.

— Non, n'éclairez pas, a-t-elle supplié. C'est plus mystérieux ainsi.

Nous avons gravi l'escalier de bois recouvert d'une moquette jusqu'au premier seulement. En son milieu le tapis était complètement élimé. À partir du premier étage, on foulait le bois et chaque marche résonnait comme un tambour. La rampe vertigineuse collait un peu aux doigts : j'en avais honte, ainsi que de l'odeur d'eau de Javel qui nous pinçait le nez.

Jadis, lorsqu'il m'arrivait d'ouvrir ma porte après que la minuterie se fût éteinte, je plongeais la clé dans la serrure d'un mouvement infaillible. Mais ce soir-là, j'ai mis au moins deux minutes avant d'y parvenir.

Une vasque de verre jaune éclairait notre vestibule. Elle était suspendue au plafond par un triple cordon tressé qui se terminait par des glands. Les araignées s'en étaient donné à cœur joie. Le papier des murs était gaufré par l'humidité.

— Personne ne s'est occupé de ce logement depuis la mort de votre mère ?

— Si, la concierge, mais très mal, vous voyez.

J'ai fait entrer ma compagne dans la salle à manger.

— Une tranche de vie, hein ? ai-je plaisanté en désignant les pauvres meubles, les cache-pots de cuivre, les napperons brodés, les rideaux à grille, les abat-jour de perles et les abominables chromos des murs.

Elle n'a pas répondu.

Je lui ai montré la table ovale sur laquelle trônait une statue de bronze – fierté de ma mère – représentant un athlète aux muscles incroyables, arc-bouté pour pousser une roue de char. Cette roue toute seule était d'un ridicule achevé. L'athlète aussi qui paraissait fournir un effort démesuré pour peu de chose.

— Voilà, ai-je commenté, je faisais mes devoirs

sur cette table car, excepté pour les grandes occasions, nous prenions tous nos repas à la cuisine. Pendant des années j'ai cru que cela était de fort bon goût. Et puis un jour j'ai vu et j'ai eu un peu honte. Pourtant j'ai continué d'aimer ce décor. Et il y avait surtout cette impression de sécurité que j'ai perdue pour toujours.

Elle avait les larmes aux yeux. Je l'ai poussée vers la chambre mortuaire. Je n'ai rien eu à expliquer ; elle a compris. Un long moment elle a contemplé cette pièce affligeante où j'essayais de découvrir une ombre chère.

C'est elle qui m'a entraîné vers ma chambre.

— Vous allez continuer d'habiter là ?

— Je ne sais pas.

— Vous n'avez pas de projets ?

— Je pense repartir. Seulement, auparavant, je veux essayer de séjourner ici. C'est à cause de ma mère, vous comprenez ?

« Elle est morte ici, toute seule avec mon absence. Moi je vais essayer de lui revaloir ça en y vivant, tout seul avec la sienne.

Ma voix s'est brisée, et pourtant je la croyais bien affermie. J'ai appuyé mon front au mur et j'ai enfoncé mes poings crispés dans mes yeux, aussi fort que j'ai pu.

LE MONTE-CHARGE

Chez un voisin, la radio jouait « *Revoir Sorrente* ».

La femme a mis ses deux mains sur mes épaules et j'ai senti sa tête se blottir dans mon dos.

— Dites-moi tout de même votre prénom, a-t-elle chuchoté.

3

LA PROMENADE

Elle est allée s'asseoir sur mon lit.

Elle murmurait pour elle-même, à mi-voix mon prénom : « Albert… Albert ».

En la voyant, assise sur le lit avec son manteau ouvert, j'ai pensé qu'elle était la première femme à pénétrer dans ma chambre et je crois que j'ai rougi.

— Vous ressemblez étrangement à la personne que j'ai aimée.

— Vraiment ?

— C'est peut-être inélégant de vous le dire en ce moment ?

Elle a eu un geste vague qui signifiait « aucune importance ».

— Comment était-elle ? a questionné Mme Dravet.

— Je vous dis : comme vous. Un peu moins brune peut-être et un peu plus grande. Mais elle avait la même forme de visage, et les mêmes yeux à la fois intenses et pensifs.

— C'est à cause de cette ressemblance que vous avez fait attention à moi ?

— Non.

— Vous l'aimez encore ?

La question m'a troublé. Je ne me l'étais jamais posée depuis la mort d'Anna.

— Quelle que soit l'intensité de ce qu'on éprouve pour un être disparu, cela ne peut être de l'amour.

Je me suis laissé glisser à genoux sur la carpette miteuse. J'ai enserré ses jambes de mes bras fervents tandis que sa longue main élégante s'approchait de mon visage pour une caresse pleine de douceur et de tristesse.

— Vous resterez toute votre vie un petit garçon sauvage, Albert !

— Pourquoi ?

— Je ne sais pas, je le sens.

J'ai lâché ses jambes et pris sa main. Je l'ai portée à mes lèvres. Elle avait la peau fine et soyeuse, d'une tiédeur bouleversante.

— La plus jolie main du monde, ai-je balbutié.

Elle a eu un léger sourire satisfait.

— J'aime que vous remarquiez mes mains. En général, les hommes ne parlent jamais à une femme de ses mains.

C'est à cet instant qu'elle a découvert deux espèces de minuscules étoiles rougeâtres à l'extrémité de sa manche. Elles étaient assez espacées et, bien qu'elles fussent vraiment petites, on les distinguait nettement sur le tissu clair de sa robe.

— Qu'est-ce que c'est que ces taches ? a-t-elle murmuré en comprenant que je les avais aperçues aussi.

J'ai ri.

— Peut-on appeler des taches ces deux têtes d'épingle ?

Mon ton enjoué ne l'apaisait pas. Elle était réellement ennuyée. Il suffit de si peu de chose pour rompre un état de grâce. Je le sentais avec désolation, le nôtre avait brusquement cessé. Quelques secondes avant l'incident de la robe, nous flottions tous deux dans une ambiance un peu irréelle. Cette femme m'appartenait déjà. Tout ce que nous disions, tout ce que nous faisions, et nos silences eux-mêmes, nous guidaient vers cette conclusion logique de l'amour physique.

Et puis c'était fini. Le charme s'était rompu.

Nous nous retrouvions comme avant : désemparés et seuls, infiniment seuls au cœur de ce Noël étrange.

— Je voudrais un peu d'eau pour essayer de faire partir ça.

Notre logement ne comportait pas de salle de bains. Pendant vingt ans j'avais fait ma toilette sur l'évier. Je l'ai emmenée à la cuisine. Mais on avait coupé l'eau. J'avais pourtant écrit à la concierge de payer les différents abonnements ménagers. Lorsque j'ai tourné le robinet, pas une seule goutte de liquide ne s'en est échappée.

Ma compagne a paru navrée.

— Venez, ai-je soupiré, allons dans un bar.

Et c'est ainsi que nous sommes partis. En la regardant franchir mon seuil, j'ai pensé qu'il n'avait tenu qu'à une minute de silence que je la prenne dans mes bras. J'avais en moi une navrance douloureuse, comme un immense regret de toute ma chair.

Combien de fois, étant jeune homme, j'avais rêvé dans mon lit de garçon que j'y étreignais une femme ? Ce n'était jamais la même. Je prêtais à mon illusoire partenaire les visages de filles rencontrées au cours de la journée : celui d'une vendeuse qui m'avait souri ; d'une dame chic que j'avais hypocritement regardée descendre de voiture ; parfois il s'agissait tout bonnement d'une actrice dont le portrait s'étalait sur la couverture d'un magazine…

Avec des années de retard, et d'une façon beaucoup plus merveilleuse que dans mes rêves, j'avais failli réaliser ceux-ci.

— Vous avez l'air accablé ? remarqua-t-elle tandis qu'à nouveau nous déambulions dans les rues vides.

— Oui, un peu.

— Pourquoi, Albert ?

— Ne m'appelez pas Albert, je vous en supplie.

— Je ne sais pas prononcer votre nom ?

— Non.

Je lui ai répondu sans muflerie, avec seulement le souci d'être sincère.

— Pour bien prononcer le nom d'un homme, il faut l'aimer.

— On dirait que vous m'en voulez ?

— C'est vrai.

— Pourquoi ?

— Je trouve injuste d'éprouver pour vous un sentiment que vous ne partagez pas.

— Qui vous dit que je ne le partage pas ?

— Je le vois bien. Le coup de foudre, le vrai,

c'est réservé aux hommes. Les femmes sont trop lucides pour atteindre en quelques instants les sommets de l'amour.

Elle s'est arrêtée.

— Embrassez-moi, a-t-elle demandé.

C'était presque un ordre. Il y avait comme une farouche détermination dans sa voix.

Je l'ai saisie par la taille et j'ai écrasé ma bouche sur la sienne. Son baiser m'a rendu complètement fou.

Lorsque nos lèvres se sont séparées nous nous sommes remis à marcher, très vite, comme des gens qui ont peur.

— Vous auriez voulu, tout à l'heure, dans votre chambre, n'est-ce pas ?

— Oui.

— Et vous m'en voulez un peu ?

— Plus maintenant. C'est mieux ainsi.

Elle a haussé les épaules.

— Naturellement que c'est mieux ainsi. Il faut être un homme pour penser le contraire.

Nous passions devant un grand café bondé. Nous y sommes entrés et nous sommes restés au comptoir car toutes les tables étaient occupées. Un juke-box ronflait. Des jeunes gens endimanchés, coiffés de chéchias en papier, accompagnaient la musique en soufflant dans des mirlitons.

Au fond de l'établissement, quatre vieux bonshommes jouaient aux cartes. Une nuit de Noël ! C'était stupéfiant !

— Vous m'excusez un instant ?

De sa démarche aérienne elle filait à travers les buveurs en direction des lavabos. J'ai commandé un café très fort et je me suis mis à l'attendre en regardant fonctionner la boîte à musique aux éclairages versicolores. Le disque tournait verticalement comme une meule à aiguiser et le bras du pick-up ressemblait à une bielle.

— Voilà, le malheur est réparé !

Elle me montrait l'extrémité humide de sa manche.

— Qu'est-ce que c'était ?

— Des éclaboussures de bougies rouges.

Confusément cette affirmation m'a choqué. J'avais vu les deux taches. Je savais bien que ça n'était pas du suif.

— Que buvez-vous ?

— Rien. Il faut que je rentre maintenant. N'oubliez pas que ma fille est seule.

LE MONTE-CHARGE

Les Établissements Dravet, à la clarté de la lune, ressemblaient à un jeu de cubes. La suie du quartier n'avait pas encore patiné les murs, et leur crépi blanc se détachait crûment dans la nuit de décembre.

— Eh bien voilà, a soupiré Mme Dravet, nous allons nous quitter. Quelle heure est-il ?

J'ai regardé ma montre :

— Minuit moins le quart.

— Dans quinze minutes le fils de Dieu va naître une fois encore. Vous croyez qu'il finira par racheter un jour les péchés du monde ?

J'étais soudain triste à mourir.

— Je me fous des péchés du monde, madame Dravet. Je me fous du monde ! Ce qui m'intéresse, c'est vous. Je suis malade à l'idée que nous n'allons peut-être plus nous revoir…

— Nous nous reverrons !

— Dans une autre vie ? ai-je grommelé.

— Ne soyez pas injuste. Vous venez prendre un dernier verre pour attendre ce minuit fatidique ?

Ne pas la quitter tout de suite ! La voir encore ! L'entendre encore !

— Oui ! Oui ! Oui !

Elle a rouvert le portail sombre. J'ai retrouvé la cour, avec ses camions rangés contre le mur, ses verrières protégeant des montagnes de papier, ses senteurs de colle et de carton.

— Qu'est-ce qu'il broche, votre brocheur? Des livres?

— Oui. Mais il fabrique surtout des agendas…

Lorsque nous avons été de nouveau dans le monte-charge, elle s'est brusquement plaquée contre moi et, tandis que s'élevait la cage d'acier, m'a redonné un baiser aussi brûlant, aussi passionné que le premier.

L'appareil s'était immobilisé et nous continuions encore à nous étreindre farouchement. Elle avait passé une de ses jambes entre les miennes; je la serrais frénétiquement. Nous n'avions plus qu'un même souffle, qu'une même bouche.

— Viens! dit-elle soudain en me repoussant.

Son mouvement fut si violent qu'il me fit virevolter. Elle ouvrit la porte coulissante et répéta, quasi machinalement, comme elle l'avait fait la première fois :

— Attention à la marche!

4

LA DEUXIÈME VISITE

Nous sommes entrés chez elle sans faire de bruit pour ne pas éveiller l'enfant endormie. C'est seulement une fois à l'intérieur et la porte refermée qu'elle a donné la lumière. Alors elle a poussé un cri. Pas exactement un cri, plutôt un gémissement.

— Qu'y a-t-il? ai-je balbutié, troublé.

Elle avait les yeux fixés sur le portemanteau du vestibule. Un pardessus gris sombre, à col de velours, y était accroché.

Or, ce pardessus ne s'y trouvait pas lorsque nous étions partis.

Le vêtement la fascinait. Elle se retenait de respirer et tendait l'oreille comme pour essayer de deviner, à la qualité du silence, la nature du danger.

Car il y avait danger !

Je le pressentais avec une certitude telle qu'elle tuait en moi tout effroi.

— C'est celui de votre mari ? ai-je chuchoté.

Elle a acquiescé d'un bref signe de tête.

— Donc, « Il » est ici ?

J'allais encore parler, mais d'un geste vif elle m'a bâillonné avec sa main. Elle s'obstinait à écouter. Ce qu'il y avait d'angoissant, c'était ce pardessus accroché, et ce silence absolu de l'appartement.

J'ai écarté sa main et l'ai conservée dans la mienne, comme pour lui insuffler du courage. J'entendais cogner son cœur à grands coups. En articulant exagérément chaque syllabe pour la rendre audible sans avoir à la proférer, j'ai demandé :

— Il ne devait pas rentrer ?

Elle a fait « non » de la tête.

— Il est peut-être venu changer de vêtement et il est reparti ?

Haussement d'épaules. Elle doutait.

— Il a dû se coucher ?

Seules, mes consonnes sifflantes s'entendaient.

Je devais ressembler à un muet. Et encore, les muets font-ils du bruit !

Elle a de nouveau fait « non ».

Ce qui paraissait troubler la femme, c'était moins le danger que constituait cette présence que son aspect insolite.

— Voulez-vous que je parte ?

J'avais peur de passer pour un lâche en lui proposant cela. Le galantin qui se défile dans ces cas-là est un personnage mesquin. D'ailleurs je n'avais nulle envie de fuir.

J'étais tout disposé à braver la colère d'un homme jaloux. Il y avait en moi une énergie inemployée qui ne demandait qu'à s'extérioriser.

Elle hésitait à me répondre. Je comprenais la confusion de son esprit. Elle ne savait plus. Devions-nous fuir, ou au contraire faire front ?

Elle s'est décidée tout à coup. D'une voix presque assurée elle a lancé à la cantonade :

— Tu es là, Jérôme ?

Silence ! Un silence pointu qui se piquait dans nos nerfs tendus.

J'ai haussé les épaules.

— Je vous dis qu'il est reparti. Ne vous ayant pas trouvée, il aura décidé de finir la nuit autre part...

Cette fois j'avais parlé normalement.

La femme a admis l'hypothèse d'un battement de cils. Il n'y avait personne au salon puisque celui-ci était éteint. Elle est allée au fond du couloir en ouvrant chaque porte. L'une donnait sur la chambre de son enfant, et c'est là qu'elle a commencé. Je me suis avancé, et j'ai vu la petite Lucienne, sagement endormie dans un petit lit en bois clair. Il y avait des « Donald Duck » en contre-plaqué peints contre les murs et des jouets traînaient sur le tapis.

La porte qui faisait face à la chambre de la petite était celle de leur chambre. Il n'y avait personne dans la pièce. Le lit n'était pas défait. C'était un lit portugais, avec deux colonnes au pied et un fronton terriblement chargé.

— Vous voyez bien qu'il n'y a personne !

Par acquit de conscience elle a jeté un coup d'œil dans la cuisine puis dans la salle à manger.

Personne non plus !

Elle a alors paru rassurée.

— Je ne comprends pas pourquoi il est venu en pleine nuit. C'est si peu dans ses habitudes…

— Peut-être voulait-il vous souhaiter un bon Noël ?

— Lui ! On voit que vous ne le connaissez pas !

Décidément c'est un mystère… Allons boire. Il va être minuit.

Je l'ai saisie par la taille.

— *Il est minuit !*

J'ai levé le doigt :

— Écoutez !

Une horloge du quartier égrenait ses douze coups, lentement. Son timbre grave vibrait dans l'air immobile de la nuit.

— Embrasse-moi, a-t-elle soudain supplié. J'ai peur !

Je l'ai reprise dans mes bras.

— Plus fort ! Plus fort ! J'ai peur…

Son agitation était extrême. Elle se plaquait contre moi avec une frénésie qui m'effrayait.

— Voyons, calmez-vous. Peur de quoi ? Je suis là…

Elle a ouvert la porte vitrée du salon et a fait la lumière.

Le spectacle était terrible. L'homme se tenait à demi allongé sur le canapé que j'avais occupé lors de ma première visite. Il avait une jambe sur les coussins et le dos contre l'accoudoir. Il était en costume bleu nuit. Sa main gauche pendait le long de son corps, sa main droite était toute tordue entre sa joue et le dossier du canapé. Il avait une partie du crâne enlevée. Entre la tempe droite et le sommet de la tête, ce n'était qu'une plaie bouillonnante. La balle avait fracassé la boîte crânienne et était allée ricocher au plafond, faisant tomber une grosse écaille de plâtre.

Le mort avait les yeux clos, les lèvres légèrement entrouvertes et on voyait briller une dent en or sur le devant de sa bouche.

La femme n'a rien dit. Elle m'a fait penser à un tout jeune arbre dont on a tranché le pied d'un coup de cognée, mais qui ne tombe pas tout de suite. Vivement je l'ai saisie aux épaules pour la refouler dans le vestibule.

Elle était d'une pâleur affreuse et son menton tremblait.

Elle s'est mise à contempler le pardessus accroché à la patère comme s'il s'agissait du cadavre lui-même.

— C'est votre mari ? ai-je fini par demander d'un ton à peine audible.

— Oui.

On entendait, venant de très loin, le « Minuit Chrétiens ». Ce chant naissait de l'espace comme le vent arrive de l'infini.

Il y avait des bribes, puis brusquement cela s'enflait.

Je suis retourné dans le petit salon. Ce mort près du sapin était hallucinant. Il s'agissait d'un homme de trente-deux ou trente-trois ans, aux traits assez aristocratiques. Son menton carré, légèrement proéminent, révélait l'homme d'action.

Avec prudence j'ai contourné le canapé. Je ne voulais toucher à rien, mais seulement me rendre compte. J'ai aperçu le revolver, entre le buste de l'homme et le dossier du meuble. En mourant il l'avait lâché.

Il était mort depuis un moment déjà. Vraisemblablement peu de temps après notre départ. Il avait beaucoup saigné et le sang s'était répandu sur les coussins. J'ai cherché, alentour, une lettre expliquant les raisons qui l'avaient poussé à se détruire, mais il n'y avait rien. Peut-être, cette lettre, la retrouverait-on dans ses vêtements, plus tard…

Un léger bruit m'a fait tourner la tête. J'ai vu la femme debout dans l'encadrement, sa tête appuyée au montant de la porte. Elle regardait son mari mort, d'un œil plus incrédule que réellement effrayé.

Elle ne comprenait pas.

— Il est vraiment mort ? a-t-elle interrogé.

— Oui.

La question était superflue. Lorsqu'un homme

a au crâne un trou aussi béant que celui-là, il est évident qu'il ne vit plus.

Comment diantre avait-il eu l'idée de se suicider devant ce joyeux sapin qui était un hymne à la vie ?

La cave à liqueurs se trouvait toujours devant le canapé. Et il y avait nos deux verres, l'un près de l'autre, contenant respectivement, l'un un fond de cherry, l'autre un fond de cognac.

— C'est horrible, a murmuré Mme Dravet, en s'approchant du mort.

— Ne le touchez pas ! ai-je recommandé. C'est très important.

— Oh ! oui… Pour la police ?

— C'est cela, pour la police. Dans ce genre de suicide le moindre détail a tellement d'importance…

— Suicide ?

— Il s'est tiré une balle dans la tête ; c'est évident.

Elle paraissait vraiment ne pas y croire.

Il y a eu un temps de flottement. Nous savions qu'il y avait des mesures à prendre, mais nous avions du mal à agir d'une façon sensée.

Je me demandais ce qu'elle éprouvait. Avait-elle

du chagrin ? J'ai failli lui poser la question, mais, en présence du cadavre c'était impossible.

— Il faut téléphoner à la police ?

— Évidemment !

Mais elle n'a fait aucun mouvement. La blessure du mort la captivait.

Tout venait de se passer très vite. La preuve : l'horloge déjà entendue se remettait à sonner minuit. L'instantanéité d'un cauchemar ! On rêve à d'effrayantes aventures, on se débat dans des maléfices sans nombre, et puis brusquement on s'aperçoit que la fantasmagorie a duré le temps d'un battement de paupière. Seulement, pour nous, ça continuait. Le cadavre était bien un cadavre que nous regardions fixement, croyant déceler parfois un frémissement dans ce corps jeté de côté ! Nous cherchions à nous suggestionner. Nous attendions la fin du mauvais rêve mais il ne s'agissait pas d'un rêve. La réalité a toutes les patiences.

Enfin, Mme Dravet a réagi et a brusquement quitté la pièce. Je l'ai entendue s'éloigner dans le couloir. Au bout d'un moment, le cadran du téléphone s'est mis à crachoter. Alors j'ai pensé à quelque chose de terrible ! Et ce quelque chose ne m'était pas venu à l'esprit plus tôt.

Je me suis élancé comme un fou hors du salon.

Elle était dans sa chambre, assise sur un pouf avec l'appareil sur les genoux. Elle achevait de composer son appel lorsque je lui ai arraché le téléphone des mains.

Le combiné a voltigé sur sa coiffeuse, brisant un flacon de parfum. Une odeur pénétrante de tubéreuse s'est répandue instantanément dans la chambre.

La jeune femme semblait affolée.

— Mais pourquoi ?…

— Attendez un moment avant de prévenir la police.

Ce qui me restait à lui dire était difficile !

— Il faut bien, pourtant ! a-t-elle protesté.

— Oui, il faut bien. Seulement vous ne pouvez pas parler de moi aux policiers ! Je ne peux pas être mêlé à une histoire de ce genre.

Elle était très abattue mais lucide. J'ai vu flamber une lueur de mépris dans son regard. Brusquement je devenais pour elle un pauvre coureur de cotillons embêté de s'être fourvoyé dans un tel guêpier et affolé à la perspective des complications.

— Je sais ce que vous pensez, mais vous vous trompez ; si je vous demande ça c'est dans votre intérêt. Ma présence chez vous, cette nuit, peut vous nuire. Je suis loin d'être une caution pour vous.

Elle respirait à peine. La bouche légèrement entrouverte, le regard rond, elle paraissait sur le point de défaillir. Son état de prostration m'a alarmé.

— Vous vous sentez mal ?

— Non. Parlez !

Parler ! C'était si difficile après ce qui venait de se passer !

— Je vous ai raconté mon histoire, au début de la soirée. Mais incomplètement, car la suite n'est pas racontable…

Je me suis tu de nouveau. À bout de nerfs, elle s'est mise à hurler :

— Mais dites ! Vous voyez bien que je n'en peux plus !

— Cette femme avec qui je m'étais enfui… Au bout de trois mois, son amour a tiédi et elle a voulu partir. Alors, je… je l'ai tuée ! Une crise passionnelle ! C'est du moins mon avocat qui a baptisé ainsi mon crime. J'ai été jugé à Aix-en-Provence et condamné à dix ans… On m'a libéré hier de la prison des Baumettes de Marseille, j'ai obtenu une remise de peine.

J'avais parlé d'une traite, sans la regarder. Je

fixais l'appareil téléphonique renversé. Il ressemblait à une bête morte. Je l'ai ramassé et j'ai mis le combiné sur sa fourche.

— Je suis un repris de justice, madame Dravet. Si la police apprend que nous avons passé une partie de la soirée ensemble, le suicide de votre mari va lui sembler louche, vous comprenez ? Maintenant je connais les flics, ils sont toujours disposés à imaginer le pire !

Elle s'est pris la tête à deux mains. Le cauchemar continuait pour elle. Il avait d'étranges prolongements.

— Pourtant, a-t-elle murmuré, on ne peut pas nous suspecter. Nous étions ensemble. Nous ne nous sommes pas quittés !

— Qui le prouve ? Vous et moi. Si la police imaginait une complicité de notre part, nous serions dans de vilains draps. On ne prête qu'aux riches. J'ai déjà tué quelqu'un, vous comprenez ?

Elle m'a jeté un regard effaré et elle a esquissé un léger mouvement de recul. Cette femme venait de réaliser que j'étais un meurtrier et elle éprouvait ce que tout le monde éprouve dans ce cas : une peur mêlée de répulsion.

— Partez !

— Oui, madame…

— Filez tout de suite d'ici ! a-t-elle insisté d'une voix grondante.

— Il faudrait peut-être que nous nous mettions d'accord…

— Non ! Je ne vous connais pas ! Dès que vous serez sorti d'ici, ce sera comme si je ne vous avais jamais vu, vous m'entendez ?

— Comme vous voudrez. Seulement la police…

— Je m'en charge ! Allez-vous-en !

J'ai quitté la chambre à reculons, déconcerté par son regard mauvais. Pendant les deux ou trois heures que nous avions passées ensemble, je l'avais crue faible et désemparée et soudain, dans l'adversité, elle devenait étrangement froide, déterminée. Elle ne se comportait plus du tout comme une victime. Il y avait dans tout son être quelque chose d'impitoyable qui me faisait mal. J'essayais de me rappeler la petite moue tendre qu'elle avait eue lorsque je l'avais prise dans mes bras.

Ce n'était plus la même femme.

En me retrouvant dans le vestibule j'ai été dégrisé.

Il y avait un homme mort ici. Moi je me trouvais à son domicile sans raison avouable, et je sortais de prison !

Il me semblait que cet appartement était pavé

de pièges à loups. J'allais sortir, mais je me suis souvenu de mon verre de cognac posé à cinquante centimètres du cadavre. Il devait comporter un magnifique échantillon de mes empreintes.

Je suis entré au salon pour le nettoyer avec mon mouchoir. J'ai frotté en outre le goulot de la grosse bouteille de cognac puis, par acquit de conscience, le rebord du bar roulant et le marbre de la cheminée. Ensuite j'ai fourbi la poignée de la porte du salon.

Comme je remettais le mouchoir dans la poche de mon pardessus, j'ai rencontré le carton tordu ayant contenu le sujet d'arbre de Noël. J'allais l'oublier ! Je doutais que des empreintes puissent s'imprimer sur cette surface rugueuse, mais il valait mieux ne rien laisser derrière moi.

Je me suis approché du sapin. J'ai tendu la main pour cueillir la petite cage argentée et je suis resté le bras en l'air, comme frappé de paralysie : la cage et son oiseau de velours avaient disparu.

J'ai écarté les branches du sapin pour voir si, par hasard, elle était tombée, mais j'ai eu beau chercher je ne l'ai vue nulle part. *Quelqu'un l'avait fait disparaître.*

J'ai entendu le pas de Mme Dravet dans le vestibule.

— Pas encore parti ? s'est-elle étonnée.

Elle me considérait d'un œil soupçonneux. Elle a regardé mes mains, puis le cadavre de son mari. Redoutait-elle que j'eusse déplacé quelque chose ?

Elle ressemblait de plus en plus à Anna. Elle avait ce regard désert qu'avait Anna en m'apprenant « que c'était fini nous deux » et qu'elle voulait reprendre la vie conjugale.

Pourtant, j'aurais voulu la prendre dans mes bras encore, et lui dire des paroles apaisantes.

— Excusez-moi, madame. Je pars.

Elle m'a ouvert la porte du palier. Je crois qu'elle a murmuré « adieu » ; mais je n'en suis pas sûr.

5

LE BON CONSEIL

La porte s'est refermée brutalement derrière moi et je me suis trouvé au sein des ténèbres. D'en bas montait une odeur pénétrante de colle à papier. J'ai frotté une allumette afin de pouvoir me diriger. À gauche, il y avait l'escalier et devant moi la cage du monte-charge.

J'ai pénétré dans la cabine d'acier. Elle ressemblait à celle d'un ascenseur d'hôpital fait pour hisser des gens à l'horizontale, elle était toute en longueur.

J'ai cherché le tableau de commande. La flamme de l'allumette me léchait déjà les doigts. J'ai aperçu deux boutons : un rouge et un noir. Le rouge était au-dessous de l'autre. Je l'ai pressé. La cabine a plongé mollement dans un grand frisson électrique. J'ai lâché mon allumette qui a achevé de se consumer sur le plancher. Un minuscule serpentin blanc commençait de s'enflammer. Je l'ai écrasé sous ma semelle et la faible lueur s'est engloutie.

En voyant les deux camions stationnés dans la cour, j'ai songé à l'automobile de Dravet. Il n'était pas rentré chez lui à pied ? En ce cas, qu'était devenue sa voiture ? J'avais beau regarder autour de moi, je ne l'apercevais pas. Elle ne se trouvait pas non plus dans la rue. Quelqu'un l'avait-il déposé chez lui ? Était-ce ce quelqu'un qui avait emporté ma petite cage de carton saupoudrée de paillettes argentées ?

La disparition de cet objet me troublait presque autant que la mort du brocheur.

J'ai fait quelques pas, les mains rageusement enfoncées dans les poches de mon pardessus. J'en voulais à l'humanité de son inclémence. Après m'être morfondu pendant six ans en prison, après avoir usé mes remords jusqu'à la trame, après des insomnies plus cruelles que des cauchemars, je retombais dans le sang, dans le drame. Si Anna était morte de mon désespoir, sa fin ne m'avait pas guéri. Je continuais de charrier mon agonie. J'avais eu, en six ans, ces deux heures d'oubli auprès de Mme Dravet. C'était bien peu.

J'aurais dû fuir ce quartier, filer le plus loin possible à travers la joie des autres qui ronflait comme un brasier.

Mais une force secrète me retenait à proximité de la maison. Je n'arrivais pas à accepter cette situation extravagante. Je ne pouvais admettre de laisser seule entre une petite fille endormie et le cadavre d'un homme la femme à qui je devais peut-être les instants culminants de ma vie. Il n'y avait eu entre nous que deux baisers que nous savions sans lendemain ; mais ils nous avaient unis plus solidement que des étreintes échevelées ; plus définitivement qu'une union légale, plus fortement qu'un sacrement.

Elle m'avait pratiquement jeté dehors. Elle avait le regard cruel de la femme qui ne pardonne pas à l'homme qui lui plaît de la décevoir. Je l'avais déçue par mon impuissance à l'aider. Elle avait compris que son propre intérêt exigeait que je m'efface, oui : elle l'avait compris mais non admis.

De l'autre côté de la rue s'étendait un chantier cerné d'une palissade. Au milieu d'un ancien terrain vague se dressaient des grues géantes et des pyramides de matériaux qui donnaient à l'endroit l'aspect d'un port.

En bordure de la palissade il y avait un arrêt d'autobus avec un refuge vitré. Je me suis glissé dans cette espèce d'habitacle. J'ai relevé le col de mon pardessus avant de m'asseoir sur le banc de pierre.

Je voulais attendre, non loin d'elle, la suite des événements. Peut-être aurait-elle besoin de moi. Je ne pouvais prévoir comment; mais j'en avais la secrète intuition. La police allait venir. Elle ferait les constatations. Comment Mme Dravet se tirerait-elle de ce mauvais pas? Elle ne pouvait pas prétendre être restée chez elle et ne pas avoir entendu la détonation! D'autre part, si elle avouait être sortie, les flics lui demanderaient où elle était allée, et ça non plus elle ne pouvait pas le dire… À moins que… Mais oui! L'idée était bonne!

J'ai quitté l'abri pour courir en direction du café le plus proche. Ce n'était pas celui où nous étions entrés tout à l'heure, mais un petit bistrot de bougnat qui, exceptionnellement, restait ouvert très tard cette nuit-là.

Il ne comportait que trois tables et un petit comptoir. La salle étroite avait été coupée en deux.

Dans la seconde partie on vendait des paquets de charbon de bois et des fagots de bois.

Les patrons et une demi-douzaine d'habitués réveillonnaient. Il y avait sur la table une poêlée de boudin blanc qui sentait bon le beurre chaud.

Les convives avaient trop bu et ne parlaient pas. Ils semblaient presque tristes.

On m'a regardé comme un intrus.

— Le téléphone, s'il vous plaît !

Le patron, un petit gros avec des moustaches et un nez pareil à de la peau de crapaud, s'est levé en soupirant. Il tenait sa serviette à la main.

— Dans le magasin à côté.

Il m'y a guidé, et s'est mis à attendre, magnifique d'impudeur, en se curant les dents avec la pointe d'un couteau.

Avant de quitter l'abri, j'avais appris par chance le numéro de téléphone des Dravet peint sur le portail. Je l'ai composé aussi vite que j'ai pu, mais j'avais, depuis ma détention, perdu entre autres habitudes celle de me servir d'un cadran automatique. Je dus recommencer le numéro plusieurs fois.

Enfin une sonnerie s'est fait entendre. Mon Dieu ! Pourvu que la police ne soit pas déjà à pied d'œuvre !

L'appel retentissait avec une régularité affolante.

Comme, en désespoir de cause, j'allais renoncer, quelqu'un a décroché et attendu, sans proférer un mot, fût-ce le classique, l'instinctif « Allô ! »

J'avais la gorge sèche. Pas de doute ; c'était un inspecteur qui était à l'autre bout du fil. Je reconnaissais bien les manières policières...

Ma pensée allait si vite que j'en éprouvais comme un vertige. Que faire ? Ne pas parler ? Cela semblerait louche. Agir comme si j'avais composé un faux numéro ? Je ne me sentais pas capable de bluffer. J'étais certain de faire des couacs en parlant !

— C'est moi, ai-je balbutié piteusement.

La voix de Mme Dravet m'a semblé la plus suave des musiques.

— Je m'en doutais. Que voulez-vous ?

— Vous êtes seule ?

— Oui.

— Vous avez prévenu...

— J'attends la police.

— J'ai pensé, je crois... Enfin, vous pourriez dire que vous êtes allée à la messe de minuit pour expliquer votre absence...

— Ne vous occupez pas de cela. Je vous demande instamment de ne plus me contacter de quelque manière que ce soit.

Elle a raccroché.

Le bougnat moustachu avait fini de se curer les dents.

Dans la salle du café, les soupeurs essayaient de parler, mais ils avaient la voix « à côté de leur tête ».

— Eugène, a appelé la patronne. Ton fricot va être froid.

— J'arrive.

Il a éteint la lumière du second magasin sans même attendre que j'en fusse sorti. Les convives me dévisageaient bizarrement, avec des yeux pleins de vin rouge.

Jadis, nous avions une façon curieuse de fêter Noël, ma mère et moi. Nous nous enfermions chez nous. Je disposais sur le marbre de la desserte ma vieille crèche aux figurines de plâtre ébréchées. Nous dînions d'un poulet froid et d'une bouteille de champagne et nous passions la soirée à la lumière flageolante de grosses bougies qui resservaient parfois l'année suivante…

— Qu'est-ce que vous prenez ?

J'ai regardé le patron.

— Tu enlèveras le bec-de-cane « après » monsieur ! a lancé sa femme, la bouche pleine.

— Un marc !

89

Il m'a empli un verre à peine plus gros qu'un dé à coudre. Sur le comptoir d'étain deux étoiles de vin rouge m'ont rappelé les deux petites taches à la manche de Mme Dravet. J'ai pensé à sa hâte de les faire disparaître. Maintenant j'étais sûr qu'il s'agissait de sang. Cette idée me troublait.

J'ai payé et je suis parti sans boire mon marc. C'est seulement après quelques pas que j'ai pensé au petit verre.

Tout naturellement je suis retourné dans le refuge de la station d'autobus pour guetter la maison d'en face. Aucune voiture de police ne stationnait près des établissements Dravet. Les services de Police-Secours étaient-ils débordés cette nuit? Pourquoi tardaient-ils ainsi? Plus d'un quart d'heure s'était écoulé depuis que j'avais quitté l'appartement.

En arrivant chez Mme Dravet, alors que je tenais sa fille endormie dans mes bras, j'avais eu une fugace sensation d'angoisse. Il m'avait semblé franchir le seuil d'un labyrinthe mystérieux pour m'enfoncer dans d'étranges dédales sans lumière. Maintenant cette sensation revenait, plus forte, plus réelle.

Le grand portail noir avec ses lettres claires était

comme la couverture d'un livre effarant qui aurait raconté l'histoire ténébreuse d'un couple.

Une femme seule avec son enfant la nuit de Noël. Un mari qui venait se tuer devant un sapin enrubanné.

Deux taches de sang sur une manche. Un sujet de carton disparu de la branche d'un sapin...

Et un quatrième personnage : Moi ! Je jouais somme toute un rôle important : celui du témoin.

Un léger grincement m'a fait sursauter. Le portail de l'atelier s'ouvrait.

Mme Dravet, vêtue de son manteau d'astrakan, sortait de chez elle, tenant sa petite fille par la main.

6

LE SUBTERFUGE

Elle a tiré le lourd vantail derrière elles, en négligeant de fermer à clé ; puis elle a regardé à gauche et à droite un peu comme quelqu'un qui ne sait quelle direction adopter.

En réalité, je crois qu'elle me cherchait. Mon instinct m'a averti et je me suis plaqué dans l'angle du refuge. Elle redoutait de se trouver nez à nez avec moi. Désormais je ne pouvais plus que lui nuire par mon désir de l'aider.

La petite fille réveillée pleurnichait doucement en trottinant au côté de sa mère. Où allaient-elles ainsi ? Brusquement j'ai eu peur que Mme Dravet ait pris quelque funeste résolution. Peut-être était-ce la seule issue envisageable pour cette femme ?

Peut-être en avait-elle assez de se débattre ? Au moment d'alerter Police-Secours, elle avait dû essuyer une défaillance.

Lorsque j'avais eu devant moi le cadavre d'Anna, il m'avait semblé à moi aussi que mon existence ne pouvait se poursuivre. J'avais voulu quitter la vie, en descendre comme on descend d'un véhicule en marche. Pour cela j'avais pris entre mes dents le canon encore fumant du revolver. L'odeur de la poudre m'avait suffoqué. Et je crois qu'une bonne quinte de toux seule m'avait empêché d'aller jusqu'au bout.

Les deux silhouettes s'éloignaient dans la nuit froide. Elles se dirigeaient du côté du centre. Loin devant elles, un halo lumineux nimbait le ciel de Paris. Je leur ai laissé prendre un peu d'avance avant de sortir du refuge pour les suivre.

Elles s'arrêtaient parfois. Mme Dravet se penchait sur son enfant pour lui parler. Puis elles se remettaient en route, d'une allure incertaine. La mère marchait lentement mais la petite fille devait malgré tout forcer ses enjambées.

Elles ont traversé une place vide, et brusquement, en voyant la masse d'une église aux vitraux illuminés, au bout de l'esplanade, j'ai compris que la jeune femme s'inspirait de mon conseil. Elle allait à la messe de minuit. Au lieu de mentir à la police, elle préparait une vérité solide. C'était beaucoup plus astucieux.

Lorsque à mon tour j'ai pénétré dans l'édifice, l'aigre sonnette de l'élévation retentissait. L'église était bondée et j'ai dû rester debout, près de la porte, au milieu d'un tas de gens recueillis. Toutes les têtes étaient inclinées. J'aurais voulu essayer de prier, moi aussi. Mais je ne pensais qu'à cette femme perdue dans la foule des fidèles.

Elle seule comptait. Elle jouait à cet instant une partie terrible et j'éprouvais de plus en plus le besoin de l'aider. Profitant de ce que les assistants étaient courbés par la ferveur, j'ai regardé autour de moi. Mme Dravet se trouvait à l'entrée de l'allée principale. Elle regardait l'autel où le prêtre élevait l'hostie et paraissait emplie d'une édifiante extase. À quoi pensait-elle à cet instant ? Avait-elle peur du danger suspendu au-dessus de sa tête ? Ou bien évoquait-elle ses amours avec Jérôme Dravet ? Que réclamait-elle à Dieu : le salut de son corps, ou celui de son âme ?

Les grandes orgues ont éclaté, vibrantes d'un souffle inépuisable.

Il y a eu un vaste frémissement dans l'assistance ; un bruit de chaises remuées ; un piétinement massif. Puis des voix de choristes se sont élevées. Comme quelques fidèles quittaient déjà l'église, Mme Dravet a remonté l'allée à la recherche d'une chaise disponible.

Elle s'est faufilée dans une travée, non loin de la chaire et elle a disparu à mes yeux.

À ce moment-là, je crois que j'ai failli repartir. Dans la paix céleste de l'église, je sentais peser durement la fatigue de cette journée et plus fortement que la fatigue les émotions de la nuit. J'avais besoin d'une bonne chambre d'hôtel, donnant de préférence sur une cour. Ah ! fermer les rideaux, se jeter dans un lit, s'anéantir ! Ma première nuit de liberté, je l'avais passée dans le train où je n'avais pu fermer l'œil à cause de ce brutal changement d'ambiance. La veilleuse du compartiment me faisait penser à celle de ma cellule. N'étais-je pas encore dans une prison ? Une prison qui se déplaçait à cent kilomètres à l'heure, et où je cohabitais avec des êtres aussi déprimants que ceux des Baumettes !

La cérémonie continuait, dans un flamboiement de cierges. Tout le monde chantait, maintenant, la naissance du Christ. Je me sentais défaillir. Je prenais appui tantôt sur une jambe, tantôt sur l'autre pour essayer de combattre mon immense lassitude. La tête me tournait un peu.

Brusquement, à la fin d'un cantique, un bruit de chaise renversée s'est répercuté sous la nef ; il a été immédiatement suivi par les pleurs d'un enfant. Un pressentiment m'a fait regarder en direction de la chaire. J'ai aperçu une effervescence dans cette région de l'église. Puis un petit groupe né de cette agitation silencieuse a gagné l'allée centrale.

Il m'a semblé que je venais de recevoir un coup de poing en pleine poitrine ! Deux messieurs portaient Mme Dravet inanimée vers la sortie, tandis qu'une dame tenait la petite Lucienne en larmes par la main.

Lorsque le cortège est parvenu à ma hauteur, je me suis précipité. Fou d'angoisse, je me disais que la femme s'était empoisonnée avant de venir ici...

— Que lui est-il arrivé ? ai-je demandé à l'un des deux hommes.

— Elle s'est trouvée mal.

Nous sommes tous sortis. Sous le porche, j'ai regardé Mme Dravet et j'ai aperçu son étrange regard entre ses longs cils baissés. Ce n'étaient pas les yeux d'une femme évanouie, ils étaient terriblement attentifs au contraire.

— Vous la connaissez ? a demandé la dame.

— Je… De vue. Nous habitons le même quartier…

— Il faut la rentrer chez elle, a décidé l'un des deux hommes. Si vous voulez bien aider monsieur à la soutenir, je vais aller chercher ma voiture qui est garée par ici.

L'homme qui restait avec moi pouvait avoir une cinquantaine d'années et je n'ai pas tardé à comprendre que c'était sa femme qui s'occupait de Lucienne.

— Je ne savais plus ce qui arrivait, dit-il. Elle était à côté de moi. Elle a porté la main à son front et elle est partie en avant… Vous croyez que c'est grave ?

Mme Dravet, pâle, les narines pincées, jouait merveilleusement son rôle.

— C'est ce bout de chou qui me fait de la peine, a assuré la dame.

Elle caressait la joue de Lucienne qui maintenant reniflait son chagrin en regardant autour d'elle avec hébétude.

— Dans l'église, la petite s'était endormie. C'est sa mère, en tombant, qui l'a réveillée…

J'ai eu peur que l'enfant ne me reconnaisse. Mais elle ne m'avait entrevu qu'au restaurant, sans m'accorder une attention particulière.

Le personnage à la voiture est revenu au volant d'une 403 noire qu'il a arrêtée au bas des marches. Il a ouvert la portière arrière et nous a fait signe de descendre. Tandis que nous soutenions la pseudo-malade, celle-ci m'a lancé dans un souffle, en laissant ballotter sa tête de mon côté.

— Ne venez pas !

Aussitôt après, comme nous atteignions la voiture, elle a poussé un grand soupir et a ouvert les yeux.

— Ça va mieux ? a questionné la dame, compatissante.

— Que m'est-il arrivé ?

— Un malaise. Il faisait tellement chaud dans cette église… Nous étions juste à côté d'une bouche de chaleur…

— Et ma fille ?

— Elle est là. On va vous reconduire.

— Merci, madame.

Le mari a alors murmuré, à l'adresse du chauffeur de la 403 :

— Du moment que ça va mieux et que ce monsieur est avec vous.

Il devait avoir un réveillon à faire, des amis à retrouver.

— Naturellement, a renchéri l'automobiliste. Bon Noël, messieurs-dames...

C'était un homme plus âgé que moi. Il devait avoir une quarantaine d'années. Il était grand, sanguin, et portait un manteau de cuir avec un gros cache-nez de laine. Un bon garçon, tendre et matérialiste sûrement.

Nous avons fait monter Mme Dravet à l'arrière du véhicule avec Lucienne.

— C'est de quel côté ? a questionné l'homme au manteau de cuir.

— Au bout de la place, vous tournerez à gauche.

Avant de démarrer il a examiné sa passagère.

— Ça va mieux ?

— Oui, merci, a-t-elle balbutié.

Ma présence dans l'auto l'affolait. Je risquais de contrecarrer son plan de bataille.

— Attendez, je vais baisser votre vitre. L'air frais, y a rien de tel dans votre cas, poursuivit l'obligeant automobiliste.

Je tenais la petite fille serrée contre moi. L'homme a pris un large virage, puis il s'est mis à foncer.

— Vous voulez qu'on aille chez un toubib ?

— Ce n'est pas la peine. Je vous remercie, vous êtes très serviable, Monsieur...

Il a haussé les épaules et murmuré d'un ton satisfait :

— Vous pensez...

En retrouvant le portail sombre aux lettres pimpantes, j'ai eu comme une nausée. Tout repartait de zéro. La jeune femme devait éprouver le même vertige désespérant. De quel droit m'étais-je de nouveau immiscé dans son destin alors qu'elle m'en avait chassé ?

L'homme au manteau de cuir a quitté le volant et a contourné la voiture pour venir aider sa passagère à descendre. Tandis qu'il passait dans la lumière jaune des phares, elle a dit, sans tourner la tête :

— Je vous supplie de disparaître !

L'autre ouvrait la portière et tendait une grosse main secourable.

— Descendez doucement. Vous croyez que ça va aller ? Vous ne voulez pas qu'on vous porte avec Monsieur ?

— Non, non. Si vous voulez bien m'accompagner jusqu'à mon appartement.

— Mais comment donc !

Et jovial, le grand type me lançait une œillade

égrillarde qui, brusquement, sans que je puisse me
contrôler, m'emplissait d'une rage glacée.

— Je la soutiens. Vous, occupez-vous de la
petite !

Mme Dravet n'a pu s'empêcher de me regarder ardemment. Il y avait de tout dans ses yeux
sombres : du désespoir, de la peur, de la colère
aussi.

J'ai agi comme si je n'avais pas surpris cette
œillade véhémente.

D'un geste décidé, j'ai saisi la petite fille dans
mes bras.

Nous avons marché jusqu'au portail. *Tout
recommençait.*

7

LA TROISIÈME VISITE

Les cloches carillonnaient la fin de l'office nocturne. Leurs timbres joyeux m'ont pourtant fait l'effet d'un glas, car je savais ce qui m'attendait. Je savais que j'allais revoir le mort et devoir me comporter comme si je le voyais pour la première fois. Quel diable perfide me poussait donc à retourner sur ces lieux maudits pour y jouer la plus dangereuse des comédies ?

Tout à l'heure, je n'avais eu qu'une idée : débarrasser cette maison de ma peu recommandable personne afin de laisser le champ libre à Mme Dravet. Et maintenant, au mépris de toute prudence et sans me soucier de ses adjurations, je m'imposais chez la jeune femme. Ma raison se rebellait. Il était encore temps d'inventer un prétexte et de partir. Mais je continuais d'avancer à travers la cour.

— Il est brocheur, votre mari ?

— Oui.

— Moi, je suis dans les papiers peints. Ça se ressemble, hein, pour ainsi dire ?

Nous arrivions maintenant.

La seconde porte. Je continuais d'avancer dans le labyrinthe.

— Il fait noir comme dans un four...

— L'ampoule est grillée.

— J'ai un briquet, bougez pas. Attendez, je vois l'escalier.

— Inutile, il y a un monte-charge...

Elle ouvrait la porte et nous pénétrions dans la cabine. La porte se refermait avec un glissement caractéristique.

L'homme au manteau de cuir demandait d'une voix hésitante :

— Il y a quelqu'un chez vous ?

Cette question banale m'a frappé.

J'enviais la voix pure et paisible de cet homme. Il n'avait aucune appréhension, lui, pas même un pressentiment. C'était un être sans complication et sans détour. Il devait aimer le travail, le plaisir et son prochain...

Je regrettais d'être dans l'obscurité. J'aurais voulu pouvoir observer Mme Dravet. Aurait-elle la force de jouer le jeu jusqu'au bout?

Elle a ouvert la porte sans trembler. C'est elle qui est entrée la première et qui a actionné le commutateur du vestibule.

Elle évitait mon regard. Elle était un peu pâle, certes, mais pour l'homme ne sortait-elle pas d'un éblouissement?

— Je vais vous faire entrer au salon, a-t-elle annoncé d'une voix un peu sourde, mais qui ne tremblait pas.

J'ai pressé la main de la petite Lucienne.

Je me refusais à montrer à l'enfant le hideux spectacle qui nous attendait. Mme Dravet a éclairé le salon, puis s'est effacée pour nous y faire pénétrer. J'attendais, la tête dans les épaules, le cri angoissé de l'homme au manteau de cuir.

— Oh! le bel arbre! a-t-il murmuré en franchissant le seuil.

Je l'ai alors écarté pour regarder plus vite.

Il n'y avait plus de cadavre dans la pièce.

— Asseyez-vous, Messieurs.

Son visage restait impénétrable, mais malgré tout j'ai cru y voir flotter un imperceptible sourire.

Qu'avait-elle fait du cadavre de son mari? En le

déplaçant elle avait peut-être tout perdu. Je lui en voulais d'avoir commis cette folie.

J'ai cherché autour de moi des traces du drame. Il n'y en avait pas. Elle avait nettoyé le canapé de cuir.

Je me suis alors retourné pour voir si le pardessus de Dravet était encore accroché à la patère du vestibule, mais il ne s'y trouvait plus. De toute évidence, sa femme avait changé ses batteries. Où diantre avait-elle pu traîner le corps ? Mais si elle comptait le faire disparaître, pourquoi était-elle allée jouer la comédie de l'évanouissement à la messe de minuit ?

J'aurais donné dix ans de ma vie pour avoir avec elle une conversation à bâtons rompus.

— Je vous remercie infiniment, Messieurs. Vous avez été si serviables…

— Ce n'est rien, assurait l'homme au manteau de cuir, satisfait d'avoir accompli une B. A. en pleine nuit de Noël.

Il devait être croyant puisqu'il allait à l'église. Il se disait sûrement que son dévouement allait créditer son compte de bonheur éternel.

— Faites-moi plaisir, prenez quelque chose pendant que je vais coucher ma fille…

— Vous voulez que je vous aide ? me suis-je

hâté de proposer, voyant là une possibilité de parler seul à seul avec elle.

— Sûrement pas, Monsieur, je vous remercie.

Si sa voix était courtoise, son regard était glacé.

— Asseyez-vous !

L'autre a déboutonné son manteau de cuir et s'est laissé choir sur le canapé. J'ai ressenti un frémissement tout le long de mon corps.

— Que prenez-vous ?

Elle avait lavé nos verres, et les avait remis à leur place dans la petite corbeille de fer du bar.

— Ce que vous voudrez, du raide de préférence, a dit l'automobiliste.

— Cognac ?

— Avec plaisir.

— Et vous, Monsieur ?

Je l'ai regardée de toute mon âme. J'avais terriblement envie de la faucher par la taille, de la plaquer contre moi et de lui dire :

« Arrête ce jeu insensé, je vais t'aider. Nous allons essayer d'arranger cela. »

— Cognac aussi.

Elle nous a elle-même servis. J'ai pris place dans le petit fauteuil tandis qu'elle entraînait la petite fille engourdie vers sa chambre.

Mon interlocuteur a humé son verre. Puis il a

fait une mimique expressive pour marquer qu'il appréciait la qualité de l'alcool.

— Je m'appelle Ferrie, a-t-il déclaré tout de go, ayant brusquement le souci des convenances. Pas avec un « y » comme Jules. Moi c'est « ie » : Paul Ferrie.

— Albert Herbin...

Il m'a tendu sa main libre. Je trouvais la scène grotesque.

— Charmante femme, hein ?

D'un hochement du menton, il me désignait la porte.

— Charmante en effet.

— Elle ne doit pas rigoler tous les jours à ce que j'ai cru comprendre.

— Pourquoi ?

— Ben, pour que son mari la laisse seule une nuit comme celle-ci...

— Il est peut-être en voyage ?

— Oui, peut-être ; mais je sais pas : elle me fait triste, pas à vous ?

Cet homme était exactement le contraire de moi. Pourtant il éprouvait le même sentiment pour Mme Dravet. J'en ai été ému, troublé même.

— Un peu, c'est vrai.

— Elle serait pas enceinte ?

— Quelle idée !

— Ben, cette façon de tomber dans les pommes !

— Il est délicat de le lui demander, ai-je marmonné.

Ferrie a haussé les épaules. Puis il a bu son verre.

— La mienne est à la clinique en ce moment, avec un gros garçon de deux jours. Un peu plus, ça allait être le Petit Jésus !

« On l'a eu sur le tard. On désespérait, et puis vous voyez…

« C'est pour ça que notre Noël est un peu décousu cette année ! On se rattrapera l'année prochaine. Ma femme est très croyante ; elle a insisté pour que j'aille à la messe de minuit à sa place. Moi, la religion c'est pas mon fort ; mais à cause du petit…

Comme tous les hommes heureux, il avait besoin de se raconter. Son verre d'alcool l'incitait aux confidences. Il ne s'apercevait même pas que j'écoutais d'une oreille plus que distraite.

— Vous êtes marié ?

— Non.

— Vous devriez y penser. Je me mêle de ce qui ne me regarde pas, vous allez me dire. Mais entre hommes on peut se permettre des conseils, hein ? Avec les femmes, c'est pas que ça soit toujours drôle, seulement elles vous donnent un équilibre, vous comprenez ? Un équilibre et des mômes…

Je ne pouvais articuler une syllabe. Mes yeux écarquillés fixaient le sapin de Noël. *À l'extrémité d'une des branches ma cage argentée pendait, lestée du petit oiseau de velours.*

J'essayais de me rappeler si c'était bien à cette branche que je l'avais fixée ; mais je ne parvenais pas à le déterminer. Étais-je en pleine possession de mes sens ? Ma détention n'avait-elle pas perturbé mon cerveau ?

— Qu'est-ce que vous regardez, Monsieur… heu… Herbin ?

Je suis sorti d'un songe. Tout chavirait autour de moi, lentement, mais inexorablement.

J'essayais de trouver une explication valable.

Lorsque Dravet était rentré chez lui, dans le courant de la soirée, il avait dû tourner en rond dans la pièce avant de se décider au pire. Je l'imaginais allant et venant, s'arrêtant devant le sapin dressé pour cette petite fille qu'il abhorrait, arrachant d'un geste rageur quelques sujets qu'il avait jetés dans la cheminée, ou bien sous un meuble.

Après avoir déplacé le corps, sa femme était

revenue mettre de l'ordre au salon et c'est à ce moment-là qu'elle avait trouvé les objets – dont ma cage – et les avait raccrochés dans l'arbre.

— Très joli, n'est-ce pas, un sapin décoré ?

— Oui, ai-je articulé, très joli.

Mme Dravet est revenue, souriante.

— Voilà, l'enfant s'est très vite endormie. Encore un peu de cognac, Messieurs ?

— Une larme, parce que c'est Noël, a plaisanté Ferrie.

— Je vous ai escamoté votre messe ?

— Oh ! comme je disais à M. Herbin. N'est-ce pas curieux qu'elle apprît mon nom de cette manière ? Elle m'a jeté un bref regard un peu moins sinistre que les précédents.

— … Comme je disais à M. Herbin, la religion c'est pas mon fort. Seulement on vient d'avoir un garçon.

— Mes compliments.

Le plus extraordinaire, c'est que notre hôtesse semblait réellement passionnée par la question.

— Huit livres… Moins cent grammes ! Un Monsieur, non ?

— Et il s'appelle comment, ce jeune homme ?

— Jean-Philippe.

— J'aime beaucoup.

— Vous devriez prendre une goutte d'alcool après ce que vous avez eu, a soudain conseillé Ferrie qui était un type très spontané et un peu braque.

— Mais oui, ai-je insisté. Du cherry par exemple…

D'autorité, je lui ai servi une bonne rasade de liqueur.

Elle l'a avalée d'un trait.

— Vous ne voulez pas consulter un docteur ?

— Inutile, il s'agissait d'un simple malaise. Il faisait si chaud…

— Pour ça, oui !

Elle a poussé un petit cri qui nous a fait tressaillir, Ferrie et moi.

— Mon Dieu ! a soupiré Mme Dravet.

— Qu'est-ce qui se passe ?

— J'ai laissé mon sac à main à l'église !

Ferrie respectait trop les biens de ce monde pour ne pas partager la consternation de la jeune femme.

— Il y avait beaucoup dedans ? a-t-il vivement questionné ?

— Une trentaine de mille francs, et des papiers…

— Eh ben, dites donc, je comprends ! On va

vite retourner là-bas. C'est bien le diable si on le récupère pas. Vous m'auriez dit dans un cinéma… Mais dans une église, en principe… Hein ?

Déjà il se levait, vidait son verre, boutonnait son manteau de cuir.

Je me suis levé à mon tour. Je ne comprenais pas très bien où Mme Dravet voulait en venir.

Car moi, je savais qu'elle n'avait pas de sac à main en partant de chez elle.

8

LA QUATRIÈME VISITE

— Vous ne fermez pas le portail à clé ?

— Pff, à quoi bon !

Il n'a pas insisté. Nous avons regagné la 403 de Ferrie. J'ai ouvert la portière à Mme Dravet. L'autre était déjà installé à son volant. Je disposais de quelques secondes.

— Qu'avez-vous fait du corps ? ai-je demandé dans un souffle.

— Laissez-moi, vous voulez donc me perdre ? Rentrez chez vous, j'irai vous voir demain.

Le conducteur a demandé surpris :

— Ça ne va pas ?

Pour toute réponse, elle s'est assise auprès de

lui et a fait comme si elle n'avait pas entendu la question.

L'auto a démarré. Il était un peu plus d'une heure à la montre du tableau de bord. J'étais à bout de forces ; il me semblait que j'allais m'évanouir, moi aussi, et pour tout de bon.

Trois cents mètres plus loin, j'ai frappé l'épaule du conducteur.

— Voulez-vous arrêter ? J'habite ici. Je pense qu'il est inutile que je vous accompagne, n'est-ce pas ?

Il a freiné aussitôt avec empressement.

— En effet, c'est pas la peine.

Il n'était pas mécontent de rester seul avec la femme. Ça l'émoustillait. Il venait de passer plusieurs mois à dorloter une épouse enceinte et il avait besoin de récréation.

— Mes hommages, Madame.

Elle m'a tendu la main par-dessus le dossier de son siège.

— Merci pour votre obligeance, Monsieur.

Ferrie m'a broyé énergiquement les phalanges.

— Au plaisir.

En quittant l'auto, j'ai éprouvé un serrement de cœur.

Je suis resté planté au bord du trottoir jusqu'à ce que les deux feux rouges eussent disparu.

Une brusque apathie ensevelissait le quartier dans cette torpeur hébétée qui suit les festins. Les fenêtres s'éteignaient dans les falaises noirâtres des immeubles. Je me sentais seul, plus seul que je ne l'avais jamais été. Plus seul que devant le cadavre d'Anna ; plus seul que dans le box des Assises ou dans ma cellule. Je ne comprenais rien au comportement de Mme Dravet. Pourquoi avait-elle fait disparaître le corps de son mari ? Pourquoi cet évanouissement feint ? Pourquoi le prétexte du sac à main oublié à l'église, puisque tout cela était faux ?

La pensée des deux petites étoiles rouges souillant sa manche m'obsédait davantage encore. À un certain moment, je me suis dit qu'elle avait tué son mari et qu'avec l'aide d'un complice... C'était fou, extravagant ; mais j'étais prêt à tout imaginer et à tout croire.

À quelques mètres de moi, la façade déprimante de ma maison se dressait comme un remords. C'était toute mon enfance, c'était ma mère qui m'attendaient derrière ce grand mur écaillé. J'avais tout gâché, tout tué : mes souvenirs et ceux qui les avaient faits.

J'ai boutonné mon pardessus le plus haut possible, j'ai fourré mes mains dans mes poches et je suis retourné, en rasant les murs, jusque chez Dravet.

J'en avais assez de ce mystère : il me fallait une franche explication avec la jeune femme. J'étais décidé à la menacer si besoin était pour la faire parler.

Je me suis souvenu qu'elle avait négligé de fermer le portail à clé et j'ai pénétré dans la cour de l'atelier.

D'obscurs reflets dansaient dans les grandes vitres. Un univers fantasmagorique grouillait dans ces longs panneaux de verre opaque. Il fallait les fixer un bon moment avant de comprendre que c'étaient les nuages pourris de décembre qu'on y voyait déambuler.

J'ai attendu près d'un quart d'heure, en inspectant ces lieux conçus pour le travail. J'aimais la forte odeur de papier, si franche. Je trouvais émouvant cet amoncellement de rames, pareil à une forteresse.

Mme Dravet tardait à revenir. Comme il faisait de plus en plus froid, je me suis mis à l'abri dans la cabine d'un des camions. Ceux-ci étant tournés face au portail, je pouvais surveiller l'entrée à travers le pare-brise.

Que faisait-elle en compagnie de Ferrie? Ils étaient allés à l'église; elle avait feint de chercher son sac, peut-être même l'avaient-ils réclamé au presbytère? Mais ensuite? Il ne fallait pas un quart d'heure pour accomplir ces fausses recherches. Or cela faisait maintenant plus d'une demi-heure qu'ils étaient partis!

La fatigue m'engourdissait plus fortement que tout à l'heure dans l'église. J'ai relevé le col de mon pardessus et me suis acagnardé à la banquette en allongeant mes jambes sur le siège. Je n'ai pas tardé à m'assoupir.

Ce n'était pas du sommeil, mais une espèce d'état second qui en tenait lieu, une totale relaxation. Je gardais conscience; seulement les choses qui m'environnaient n'avaient plus de réalité. Je devenais insensible au froid, indifférent à la situation. Ma curiosité s'émoussait et Mme Dravet n'était plus qu'un souvenir d'une femme aimée que j'avais tuée voici très longtemps.

Le ronflement d'une auto devant le portail; le brusque arrêt de son moteur, un double bruit de portières claquées! En un éclair j'ai été réveillé, lucide, d'une lucidité aiguisée par le repos que je venais de prendre.

J'ai voulu descendre du camion, mais il était trop tard : le portail commençait de s'ouvrir.

D'un geste vif j'ai abaissé le pare-soleil et me suis plaqué contre le dossier du siège… Dans la nuit, il ne devait pas être possible de me voir.

Mme Dravet est entrée, escortée de Ferrie. L'homme au manteau de cuir lui tenait familièrement le bras. Elle est restée un instant appuyée au portail.

— Merci, a-t-elle murmuré… Merci pour tout.

L'autre lui a lâché le bras pour lui caresser le cou d'un geste conquérant. J'ai failli me ruer hors de la cabine pour aller lui casser la figure. Ç'a été un coup de jalousie aiguë, semblable à celui qui m'avait saisi, certain jour. Un besoin de détruire l'objet d'une trahison. J'ai vu rouge. Et puis, brusquement, ma colère s'est évanouie : elle venait de lui saisir le poignet afin de lui faire retirer sa main.

— Vous voyez bien que vous avez eu un réveillon tout de même, disait Ferrie.

Je me suis permis un geste dans ma cachette. J'ai dégagé mon avant-bras pour consulter ma montre et j'ai eu un haut-le-corps. Elle indiquait cinq heures dix. Ainsi, ils étaient restés partis plus de quatre heures.

J'ai eu un moment de doute et j'ai même porté ma montre à mon oreille pour voir si elle marchait. Son tic-tac paisible m'était resté familier. Lorsque la veille on me l'avait rendue, au greffe de la prison, mon premier geste avait été de la remonter et de fixer la petite trotteuse des secondes. Elle s'était remise en marche docilement.

— Vous voyez, Madame Dravet, ç'aura été pour moi un Noël pas comme les autres…

— Pour moi aussi.

— Bien vrai ?

L'imbécile ! Il avait la voix noyée et j'étais certain qu'il devait promener sur elle des yeux de poisson mort.

— Vous êtes une femme si extraordinaire.

— Il y a longtemps qu'on ne m'a pas dit ça !

Elle avait dû lui parler de sa détresse conjugale, à lui aussi. Peut-être même avait-il eu droit au récit de la naissance de Lucienne ?

— Vous voulez venir prendre un dernier verre ?

Il ne s'attendait pas à cette proposition et n'a pas pu répondre tout de suite. J'étais certain qu'il lui avait fait une cour assidue pendant la nuit. Elle l'avait subie gentiment, mais en gardant ses distances, et brusquement, alors qu'il n'y avait plus d'espoir pour lui…

— Vous croyez que j'ose ?

— Pourquoi pas ? C'est Noël après tout !

Ils ont traversé la cour et sont passés à quelques centimètres de moi. Mme Dravet a ouvert la porte du couloir. Puis il y a eu le raclement de la grille du monte-charge. J'ai attendu un peu avant de descendre du camion.

Au lieu de m'en aller, je suis entré dans le bâtiment. À tâtons, j'ai gagné l'escalier et je me suis mis à en gravir les marches à pas précautionneux, m'arrêtant à chaque degré pour écouter.

Je les entendais parler, mais je ne comprenais pas ce qu'ils disaient. Leurs voix composaient un ronron sourd et continu. Et soudain, il y a eu un appel :

— Jérôme ! criait Mme Dravet. Tu es là ? Jérôme ?

Mon sang n'a fait qu'un tour. Cette femme était-elle folle ? Pourquoi se mettait-elle à appeler son mari, *alors qu'elle le savait mort* ?

Je me suis plaqué au mur, le cœur fou.

— Jérôme ?

Brusquement il y a eu un grand cri. Un cri d'effroi, un cri de folie.

La voix sourde de Ferrie balbutiait :

— Madame… Allons, Madame… Madame…

Ensuite plus rien. Un silence vertigineux, rendu plus intense par l'obscurité de l'escalier. Un silence qui était déjà comme un aspect de la mort.

Je ne bougeais pas. Je respirais menu. J'ignore combien de temps s'est écoulé ainsi. J'aurais dû disparaître, mais une force obscure m'obligeait à rester. Je voulais savoir. De toute évidence, « ils » avaient trouvé le cadavre de Jérôme Dravet. Mais où sa femme l'avait-elle dissimulé ? Et pourquoi l'avait-elle déplacé ? Pourquoi avait-elle retardé l'heure de cette découverte ? Pourquoi ? Pourquoi ? Le cauchemar devenait insoutenable…

La porte s'est ouverte, au-dessus de moi. Un long rectangle de lumière blonde s'est plaqué contre la grille du monte-charge. Il y a eu la silhouette mince de la jeune femme sur cet écran de clarté.

Un jeu d'ombres. Non : une tragédie d'ombres. L'homme au manteau de cuir voulait la retenir car elle fuyait.

— Je vous en prie. La police arrive tout de suite. Restez calme, Madame. Je vous le demande… Je sais bien que c'est affreux, mais il le faut… Allez, venez… venez…

Et il l'a entraînée dans l'appartement, sans refermer la porte.

Je fixais le rectangle de lumière et j'écoutais les brefs sanglots de Mme Dravet.

J'ai compris qu'il fallait filer à tout prix. Si la police me trouvait ici, je risquais le pire.

Sur la pointe des pieds, j'ai commencé de redescendre les marches de pierre. Mais comme j'arrivais aux derniers degrés, la sirène aigrelette de Police-Secours a éclaté, vibrante et toute proche. J'ai cru que j'allais défaillir.

La sirène s'est tue. Le portail a grincé légèrement.

J'étais pris dans cet escalier comme dans une nasse. Je n'avais plus que la ressource de remonter pour retarder l'échéance.

J'ai donc regrimpé l'escalier sans me donner la peine d'étouffer le bruit de mes pas. Peut-être y avait-il un moyen de fuir par le toit ? Je me rappelais la lucarne percée tout en haut de la cage du monte-charge.

Je suis parvenu sur le palier illuminé. J'ai coulé un bref regard pour m'assurer que ni Ferrie ni Mme Dravet ne se trouvaient devant la porte. Ils n'y étaient pas. Seulement j'ai vu autre chose, et cet autre chose m'a fait douter de ma raison : par l'enfilade des portes restées ouvertes, *j'apercevais distinctement le cadavre de Jérôme Dravet, blotti sur le canapé dans sa position initiale.*

Mais déjà j'avais dépassé le palier et je commençais à douter de cette vision, à décider qu'il s'agissait d'une hallucination.

Un étroit escalier de bois continuait vers les combles. Je l'ai gravi aussi vite que j'ai pu. Déjà, les pas des policiers retentissaient en bas. Je me suis figé. Impossible de retrouver mon souffle. J'avais la poitrine bloquée dans un terrible étau. Il y avait en bas des exclamations, des chuchotements…

Ma situation était intenable. Si les policiers s'aventuraient dans l'escalier, ils allaient me découvrir et alors je ne pourrais jamais leur faire admettre que je me trouvais là uniquement en qualité de témoin trop curieux. Le petit escalier n'allait pas plus haut. Que faire ?

Avec des gestes infiniment prudents, infiniment glissants, j'ai palpé le mur. Mes doigts étaient devenus des doigts d'aveugle, ils possédaient soudain une espèce de voyance tactile.

J'ai senti la rugosité d'une porte. J'ai trouvé un loquet, je l'ai tourné, lentement, lentement. Je priais Dieu pour que ce pommeau répondit à ma pression.

La porte a obéi. Elle a émis un léger craquement et ce faible bruit m'a fait l'effet d'un coup de canon. Quelques secondes d'une immobilité totale m'ont permis de reprendre courage. J'ai poussé la porte avec d'infinies précautions. L'espoir renaissait. J'avais oublié le mort du dessous, la comédie de Mme Dravet et la police pour ne plus songer qu'à mon salut. Je savais que tous les greniers comportent des tabatières.

Si j'en découvrais une, j'étais peut-être sauvé. Mais plus j'avançais, plus le noir s'épaississait. Je coulais à pic dans les ténèbres. Elles m'engloutissaient impitoyablement, comme l'eût fait la terre sombre d'un marécage.

Une fois dans le grenier, j'ai entrepris de refermer la porte. J'agissais avec plus de précaution encore qu'à l'ouverture.

Lorsque le battant a été entièrement repoussé et qu'a eu joué le pêne du loquet, il m'a semblé qu'un formidable rempart venait de se dresser entre la police et moi.

J'ai attendu un moment encore. Je vivais en pointillé, par spasmes.

Sous moi, c'était plein d'allées et venues, de paroles inaudibles, de sonneries de téléphone.

« Ils » devaient alerter des ambulanciers, prévenir le parquet. Allaient-ils fouiller la maison ?

Une autre peur, beaucoup plus sournoise, me tenaillait maintenant. *Je savais que Mme Dravet avait un complice. C'était fatal, puisqu'en son absence, le cadavre de son mari avait été ramené au salon.*

Or celui – ou celle – qui avait exécuté cette effroyable manutention se trouvait peut-être encore dans les locaux. À moins que ceux-ci ne comportassent une autre issue que j'ignorais. À moins aussi qu'il ne se soit enfui pendant que je somnolais dans le camion.

Peut-être était-ce à l'intention de ce complice que Mme Dravet avait négligé de fermer le portail à clé en partant ?

Si le complice était dans la maison, il occupait peut-être ce grenier ? Je l'imaginais, tapi dans l'obscurité, près de moi, s'apprêtant à m'égorger à la moindre alerte. Je croyais percevoir le bruit léger d'une respiration. J'essayais de me contrôler, de me dire qu'il s'agissait de la mienne, l'effroi continuait de croître.

À plusieurs reprises j'ai eu envie d'ouvrir cette porte et de descendre vers les policiers.

Ce qui m'en a chaque fois empêché, c'est la

pensée de la jeune femme qui se débattait avec eux. Elle m'avait à plusieurs reprises demandé de disparaître et je n'avais pas tenu compte de ses exhortations. Je m'étais obstiné à m'imposer, à la poursuivre ! Si je me montrais, tout était perdu pour elle autant que pour moi.

— Il y a quelqu'un ? ai-je soufflé.

Personne ne m'a répondu et ma voix a réussi ce que ma raison n'avait pu faire : elle m'a calmé.

Si la femme de Dravet avait eu un complice, celui-ci n'aurait pas été assez stupide pour attendre la venue de la police sur les lieux du drame.

L'escalier est devenu très bruyant.

« Ça y est, ai-je pensé, ils fouillent la maison et les ateliers. »

J'ai attendu, fou d'anxiété, pensant que la porte allait s'ouvrir brutalement et que j'allais recevoir en pleine figure le faisceau d'une lampe électrique.

Mais cela tardait. Parfois les allées et venues cessaient. Et au moment où je commençais d'espérer, elles reprenaient.

Je traversais des instants d'espoir, de confiance même ; et, à d'autres moments, j'avais envie de crier de peur et de misère.

Je me sentais trop près de l'escalier. J'ai reculé doucement. Mon coude a heurté un encadrement de porte et j'ai senti que je parvenais dans un espace plus vaste. J'ai cherché une tabatière, mais il n'y en avait toujours pas. J'ai tendu le bras pour toucher le toit mais je n'ai rencontré que le vide.

Comme j'essayais de me déplacer encore, j'ai buté contre quelque chose. Ce devait être un berceau (sans doute celui de Lucienne lorsqu'elle était un bébé) car j'ai senti la forme de la barre servant à le pousser et cela s'est déplacé en produisant un cliquetis.

Le bruit a réveillé toutes mes angoisses. L'avait-on perçu du dessous ?

Je ne devais absolument plus bouger, sinon je risquais de renverser quelques-unes de ces vieilleries qu'on entrepose dans les greniers. Avec d'infinies précautions je me suis allongé par terre, sur le plancher. J'ai rencontré les franges d'un vieux tapis et j'ai posé ma joue dessus.

La politique de l'autruche a du bon parfois. Les yeux fermés, le corps immobile, je me sentais invulnérable. Même si quelqu'un montait jusque-là et inspectait le grenier au moyen d'une lampe électrique, il serait possible qu'il ne me voie pas.

Je me reprenais à espérer. Bien qu'on eût manipulé le cadavre, le suicide de Dravet restait sans doute probant et les autorités se contenteraient de souscrire aux formalités d'usage.

J'ai perçu le timbre d'une ambulance, des claquements de portières, des appels…

On continuait de marcher et de parler au-dessous. La petite exclamation métallique du téléphone qu'on raccrochait retentissait très souvent. Plus tard, il y a eu des cris, des larmes; j'ai alors pensé qu'on avait prévenu la famille de Dravet et que c'étaient ses parents qui gémissaient de la sorte.

Je regardais ma montre. Son cadran lumineux faisait une minuscule tache phosphorescente. Dans ce noir intégral, les chiffres se détachaient d'une façon hallucinante. Je ne voyais pas le boîtier, mais seulement ce bracelet de chiffres et les deux aiguilles acérées.

Six heures… Six heures vingt… Sept heures moins le quart…

Cela faisait une heure et demie qu'on avait découvert le corps. Donc on ne fouillerait pas les locaux. Si la police avait eu des doutes, elle aurait perquisitionné tout de suite.

Étais-je sauvé?

Je n'osais trop y croire. Il me resterait encore tellement d'obstacles à franchir. Il faudrait que je sorte de ce grenier, que je descende l'escalier, que je traverse la cour.

Si Mme Dravet n'était pas seule, comment expliquerais-je ma présence dans les bâtiments ? Et si elle quittait ceux-ci, comment franchirais-je les portes verrouillées ?

9

LE PRODIGE

J'ai entendu sonner sept heures. Les clochers d'alentour avaient déjà carillonné des heures et des demies sans que j'y prête attention. Le silence était total, il est vrai, dans la maison, et les bruits extérieurs seuls me parvenaient. La circulation recommençait au ralenti en ce jour de Noël. De lourds camions de livraisons tressaillaient sur les pavés. Quelques vélomoteurs pétaradants accomplissaient d'étranges trajectoires à travers ces rues qui m'environnaient.

Devais-je attendre encore ? Je flottais dans un état léthargique qui anesthésiait ma volonté.

Si je tardais trop, j'allais tomber sur le flot des parents et des relations qui accourraient sitôt que se propagerait la nouvelle. Je bénéficiais d'un moment de flottement qu'il fallait absolument mettre à profit.

Comme je m'apprêtais à me relever, un pas a retenti dans l'escalier de bois menant aux combles. Un pas rapide et décidé qui m'a mis du froid dans la tête. Quelqu'un venait, cette fois il n'y avait pas à s'y tromper. Et ce quelqu'un n'hésitait pas. Il arrivait droit ici. La première porte s'ouvrait. Le pas s'est arrêté un instant. Puis il s'est approché lentement. Bientôt je l'ai senti à quelques centimètres de mon visage.

Le bruit léger d'un commutateur et ç'a été un intense éblouissement, comme lorsqu'on essaie de fixer le soleil un moment. J'étais aveuglé par la brusque clarté, si inattendue.

Au milieu du flamboiement, semblable à une apparition miraculeuse, il y avait Mme Dravet. Mes yeux s'accoutumaient rapidement à la lumière retrouvée. Elle était seule. Elle tenait ses deux mains crispées sur sa poitrine et me fixait avec horreur, comme si j'avais été un objet de profonde répulsion.

Très certainement, je venais de lui faire la plus grande peur de sa vie.

Cet échange de regards a été très bref. Presque

immédiatement, mon attention a été captée par le décor qui m'entourait et je crois que j'ai crié. Un cri qui partait de ma chair. Le cri d'un homme foudroyé par une révélation.

— Que faites-vous là ? a-t-elle demandé d'une voix rauque.

Au lieu de répondre, j'essayais de réaliser. Je voulais comprendre ce prodige. *Je ne me trouvais pas dans un grenier, mais dans le salon des Dravet.* Il y avait le canapé, le fauteuil, le tourne-disque sur une table basse. Il y avait le bar roulant avec le verre de Ferrie et le mien, et j'ai pensé soudain que c'était lui que j'avais heurté dans l'obscurité et pris pour un vieux berceau ! Il y avait aussi le sapin de Noël et ses féeries de verre filé. À l'extrémité d'une branche, ma cage argentée et son oiseau bleu pendaient comme un hochet goguenard.

La porte du salon était bien une porte vitrée, et j'apercevais le vestibule avec son portemanteau *auquel nul vêtement n'était accroché.*

— Allons, répondez, que faites-vous ici ?

Sa voix n'était pas seulement méchante, elle était surtout désespérée.

J'ai pris mon front dans mes mains comme font

au théâtre les acteurs qui « chargent » lorsqu'ils veulent exprimer la stupeur.

— Je ne comprends pas…

— Vous ne comprenez pas pourquoi vous avez passé la nuit ici ?

— Attendez.

Je refaisais par la pensée mon cheminement de la nuit.

J'avais escaladé un étage. J'étais passé devant l'appartement des Dravet et, par la porte ouverte du palier, il m'avait été possible d'apercevoir le salon. Vision rapide mais totale de la pièce. La cadavre gisait sur le canapé…

J'avais vu le sapin, le tourne-disque, le bar roulant…

— Attendez.

Une détente s'est opérée chez cette femme exténuée. Elle a fait deux pas et s'est laissé tomber dans le fauteuil.

— Essayez-vous de me faire croire que vous n'avez pas compris ? a-t-elle soupiré en fermant les yeux.

J'ai couru hors du salon et j'ai gagné l'autre extrémité du vestibule. Avec des gestes de médium j'ai ouvert les unes après les autres les portes qui se présentaient. Toutes donnaient sur des pièces absolument vides, aux murs enduits de plâtre qu'on n'avait pas encore peints.

Alors je suis allé la rejoindre. Elle avait de grands cernes bleus sous les yeux et ses joues paraissaient s'être creusées.

— Comme je suis fatiguée, a-t-elle murmuré. Tellement fatiguée qu'en ce moment ça ne me ferait rien de mourir.

Je me suis assis en face d'elle sur le canapé. D'instinct j'ai adopté sa posture abandonnée. Nous étions vidés l'un et l'autre.

— Il y a deux appartements identiques l'un au-dessous de l'autre, n'est-ce pas ?

— Mon beau-père avait fait construire le second à l'intention de son deuxième fils qui est militaire en Algérie.

Je comprenais. Pas vraiment, non. C'était plus nuancé : je comprenais que j'allais tout comprendre, que je possédais maintenant les éléments du mystère.

— Et vous avez meublé le salon de celui-ci exactement comme le vôtre ?

— Ce n'était pas très difficile.

— C'est vrai, vous m'avez dit que vous étiez décoratrice…

— Il n'y avait pas besoin d'avoir fait les Beaux-

Arts pour peindre un vestibule et une pièce en blanc, pour acheter un canapé, un fauteuil, un bar, un tourne-disque semblables à ceux qu'on a déjà...

— C'est vous qui l'avez tué, n'est-ce pas ?

— Vous le savez bien.

La clairvoyance féminine. Elle avait su avant moi où j'en étais.

— C'est parce qu'il vous fallait un témoin que vous m'avez racolé au restaurant.

Elle a rouvert les yeux. Son regard était d'une tristesse infinie.

— Racolé...

— Enfin, disons « encouragé ». Vous avez joué le rôle à la perfection. Chaque minute semblait être le résultat d'un hasard, et en réalité vous dirigiez la situation avec une sûreté !

— Oui, le danger rend fort.

— Vous vous êtes donc arrangée pour m'amener ici. Vous avez insisté pour que je me serve à boire.

— *Avant de quitter cette pièce, il était indispensable que je sache quel alcool vous choisissiez.*

— Afin de mettre le même dans un même verre à l'étage au-dessous ?

Elle a acquiescé. Dans le fond, était-elle vraiment

importunée par ma présence ? N'était-elle pas secrè-
tement satisfaite d'avoir un confident ? Ce lourd, cet
étrange secret ne l'écrasait-il point ?

— Et vous avez mis un disque à cause de la
détonation ?

— Naturellement.

J'ai ricané :

— Du Wagner ! C'était tout indiqué…

Il y a eu un temps assez long. Elle n'a pas soufflé mot. Elle voulait bien se confier, mais comme
se confesse un pénitent maladroit en répondant
seulement à des questions.

J'en avais cent, j'en avais mille, j'en avais trop à
lui poser. Je ne savais laquelle choisir.

Le plus simple c'était d'en finir avec le meurtre
de Dravet en suivant l'ordre chronologique.

— Après avoir quitté cette pièce, vous êtes
redescendue à l'étage inférieur avec Lucienne ?

En entendant le nom de sa fille, elle a eu des
larmes plein les yeux. Je les ai vues perler au bord
de ses longs cils, y trembler un instant avant de
couler sur son beau visage torturé.

— Vous l'avez rapidement mise au lit ?

Elle m'a fait un signe qui pouvait passer pour
affirmatif, mais je pense qu'en réalité elle vou-

lait chasser de ses cils d'autres larmes qui s'y accumulaient.

— Puis vous êtes allée au salon, au vrai, pour tuer votre mari qui s'y trouvait. Par exemple je ne comprends pas...

— À midi je lui avais fait prendre trois lentérules de phénobarbital dans des chocolats. Elles contiennent plusieurs substances différentes qui se dissolvent les unes après les autres, entretenant le sommeil. On peut, suivant les doses, garder quelqu'un endormi pendant des heures et des heures...

Un faible sourire a plissé une seconde sa bouche :

— La preuve...

— Donc, il dormait ?

— Oui.

Elle savait très bien ce que je pensais. Si jamais les choses se gâtaient pour elle, aucun jury ne lui accorderait des circonstances atténuantes. Elle avait assassiné froidement, au bout d'une lente, longue et savante préméditation, un homme endormi.

— Je vous fais peur, hein ? Vous pensez que je suis un monstre.

J'ai haussé les épaules.

— Ce n'est pas un homme comme moi qui peut vous juger.

Elle a avancé doucement sa main, comme au cinéma. Le temps d'un éclair, il m'a semblé que tout recommençait.

J'ai pris sa main et l'ai pressée. Je ne demandais au ciel que quelques minutes de répit. Je redoutais un coup de sonnette ou l'aigre appel du téléphone.

— Personne ne s'est inquiété de son absence, hier après-midi ?

— Si : sa maîtresse. Le matin, les ateliers travaillaient. Elle venait le voir au bureau avec beaucoup d'impudeur, et j'ai su par la secrétaire de mon mari qu'ils avaient eu une altercation au sujet du réveillon. En fin d'après-midi elle a appelé ici, sans se nommer. Elle demandait Jérôme. J'ai répondu qu'il était parti.

— J'espère que la police sera au courant de l'incident ?

— Sûrement.

— Il sert la thèse du suicide. À propos, comment les flics ont-ils réagi ?

Elle a réfléchi.

— Je ne sais pas.

— Enfin, quelles ont été leurs attitudes ?

— Ils sont comme les médecins, ils ne disent

rien. Ils ont pris des photographies et des mesures. Ils ont mis le revolver dans une pochette de cellophane.

— Et puis ?

— Ils ont posé les scellés sur la porte du salon !

Je n'aimais pas beaucoup cela. Je m'imaginais que lorsque la police se trouvait en face d'un suicide évident elle ne s'entourait pas d'autant de précautions.

Mais ce n'était là, au fond, qu'une opinion de profane. Si les inspecteurs avaient eu des doutes, ils auraient fouillé toute la maison.

— Bon. Vous l'avez tué... Vous portiez des gants, je suppose ?

— Oui. Mais c'est lui qui a tiré. Vous comprenez, je n'ai fait que lui tenir la main.

Comme on tient la main à un analphabète pour lui faire signer une pièce. Elle lui avait fait signer sa mort.

— Deux gouttes de sang ont giclé sur votre manche.

— J'ai bien vu que ces taches vous troublaient. Elles vous troublaient avant que nous découvrions le corps. J'ai presque failli vous quitter à la sortie du café.

Les paroles étaient cruelles, mais sa main les corrigeait par de petites pressions.

— Qu'avez-vous fait des gants ?

— Je les ai jetés dans un égout au cours de notre promenade au clair de lune ; vous ne vous en êtes pas rendu compte ?

— Non, ai-je avoué, assez piteux.

Je voulais tout savoir en détail. L'affaire avait un côté spectaculaire qui me fascinait.

— Vous avez donc tiré, après ?

— J'ai versé une goutte de cognac dans un verre, une goutte de cherry dans un autre… J'ai posé les deux verres sur la tablette supérieure du bar roulant.

— C'est pourquoi, avant que nous sortions un peu plus tard, vous avez pris mon verre que j'avais laissé sur la cheminée pour le poser *comme en bas* sur la tablette du bar ?

— Vous avez remarqué ?

— Vous voyez…

— Nous avons bavardé. Nous sommes sortis.

— Et quand nous sommes revenus, vous avez stoppé l'ascenseur au premier étage et non au second. Pour que je ne me rende pas compte de l'écart de durée, vous m'avez embrassé…

— Croyez-vous que ce soit uniquement pour cela ?

— Parlez-moi du monte-charge…

— Il dessert en effet deux étages. Les ateliers sont aménagés de façon rationnelle. Le collage se fait au premier, l'emballage au second. Dans la conception des locaux, mon mari avait voulu que ce monte-charge pût servir d'ascenseur le cas échéant et c'est pourquoi il s'ouvre indistinctement côté fabrique et côté appartements.

— Alors ?

— Ce soir j'ai dévissé le bouton de commande du second étage par mesure extrême de précaution pour éviter à mon « visiteur-témoin » l'idée même d'un second étage.

— Mais vous m'avez amené au second, la première fois ! Comment avez-vous fait ?

— J'avais un dé à coudre de fillette qui me permettait d'actionner le tableau de commande pour le deuxième étage. L'extrémité du dé entrait juste dans le trou du tableau. Logiquement, je n'avais besoin d'aller qu'une seule fois au second puisqu'à partir de la deuxième visite le drame était découvert…

— Mes compliments, vous êtes astucieuse.

Je la regardais en me demandant comment un

tel machiavélisme, une telle minutie dans la préparation d'un crime avaient bien pu naître dans cette âme de femme.

— J'avais remplacé les ampoules de l'escalier et du monte-charge par des ampoules grillées.

Maintenant elle avait besoin d'aller jusqu'au bout. Elle voulait m'étonner.

— Lorsque vous êtes venu pour la première fois et que vous teniez Lucienne dans vos bras, j'ai stoppé l'ascenseur un peu avant la fin de sa course. De même lors de votre troisième visite avec l'homme de l'église… Savez-vous pourquoi?

— Non.

— Parce que notre appartement, au premier, n'est pas exactement sur le même plan que le premier étage des ateliers. Le monte-charge étant là pour les besoins de la fabrique, il en résulte une marche lorsqu'on veut sortir de la cabine côté appartement.

« Or, au second, atelier et appartement étant de niveau, je devais créer une marche artificielle en stoppant l'ascenseur un peu avant son arrêt normal. »

— Bravo. Dans le noir ça ne devait pas être facile?

— Je me suis entraînée, des nuits durant, quand

j'étais seule ici. C'est devenu une sorte de réflexe. À un centimètre près je suis capable d'arrêter la cabine toujours au même endroit.

Je ne pouvais me défendre d'une secrète admiration pour ces performances. Dans ce qu'elle venait de me dire, une phrase m'avait frappé : « Je me suis entraînée des nuits durant, quand j'étais seule ici. »

J'imaginais la vie de cette jeune femme dans ces locaux industriels, en compagnie de son enfant repoussée.

« ... des nuits durant, quand j'étais seule ici ».

Elle avait eu le temps en effet de concevoir un meurtre. De s'y préparer, puis de le préparer. De se consacrer à lui comme à une tâche...

— D'où vient que la porte du second n'était pas fermée à clé ?

« Je n'ai eu qu'à tourner le loquet pour entrer ici. »

— Par prudence.

— C'est-à-dire ?

— Chaque fois j'ai fait semblant de me servir d'une clé. En réalité c'était avec celle du premier que je farfouillais dans la serrure afin de donner le change. Je redoutais qu'au début de l'enquête on ne me demande mon trousseau de clés et que celle d'ici n'attire l'attention. Car, mon mari, lui, ne possédait pas la clé de cet appartement, et je craignais qu'on ne compare nos deux trousseaux.

J'ai lâché la main de Mme Dravet.

— Et dire que j'ai failli faire échouer ce plan si minutieux, si parfait.

Elle a hoché la tête.

— Oui. Je suis tombée sur le seul homme de ce quartier qui ne pouvait me servir de témoin. Lorsque vous m'avez avoué qui... qui vous étiez, je crois que j'ai failli me suicider...

« Tout était à refaire. »

— Et vous avez tout recommencé ?

— Seulement ça devenait très dangereux, à cause du corps qui se refroidissait. C'est pourquoi je me suis arrangée pour rester très longtemps partie avec M. Ferrie. C'était la seule solution qui me restait : laisser s'écouler beaucoup de temps de manière qu'on ne puisse pas situer à une heure près celle du décès... Je l'ai entraîné dans un endroit bruyant où nous nous sommes fait remarquer. Nous avons mis des chapeaux de papier, lancé des serpentins, bu du champagne. Il me disait que c'était le plus beau réveillon de sa vie.

Elle a eu un geste las :

— Vous croyez qu'ils feront l'autopsie ?

— S'ils ont des doutes, sûrement…

— Les lentérules ne laissent pas de traces suspectes, paraît-il. Il n'y a qu'une question d'angle de tir… Mais je crois avoir bien calculé…

À entendre sa voix tranquille, à voir son visage de jeune femme sage, on ne pouvait croire à son forfait ni surtout aux circonstances dans lesquelles elle l'avait accompli.

— Quant à cette question d'heure, poursuivait-elle, qui donc pourrait s'en douter s'il n'y a pas d'autopsie. Et encore !

« M. Ferrie a témoigné que le salon était vide quand nous sommes sortis. Il a témoigné ne pas m'avoir quittée. Il a témoigné avoir découvert le corps de mon mari *en même temps que moi*.

Elle s'est plantée toute droite contre mes genoux et m'a soulevé la tête.

— Vous êtes mon seul vrai danger, maintenant.

« Quel effet cela fait-il de tenir ainsi le destin de quelqu'un dans sa main ? »

C'était elle qui me demandait cela ?

Elle qui avait tué un homme.

À moi qui avais tué une femme.

10

L'OISEAU DE VELOURS

Pourquoi l'avez-vous tué ainsi ?

Elle a secoué la tête.

— Je préfère ne pas essayer de vous expliquer. C'est à cause de ma fille. Jérôme a été si odieux avec cette enfant…

J'ai éclaté, brusquement :

— Vous n'allez pas me dire que vous avez voulu mettre le cadavre de cet homme dans ses petits souliers ?

Le jeune femme est partie d'un rire féroce.

— Non, je ne vais pas vous le dire. Et pourtant vous n'êtes pas loin de la vérité, Albert !

Elle se souvenait encore de mon prénom ! Il n'en faut pas plus pour s'allier un homme. Jusque-là, j'étais vaguement humilié d'avoir été élu comme « pigeon » par cette fille. Mais n'était-ce pas le destin en fait qui m'avait choisi ?

N'était-ce pas grâce à un laborieux concours de circonstances, plus minutieusement agencées que le crime de M. Dravet, que je m'étais trouvé à la table voisine de la sienne au restaurant ?

La veille, je m'étais réveillé en prison à mille kilomètres de là, et cependant un dédale invraisemblable de petits hasards m'avaient guidé à ce rendez-vous.

— Votre coup de l'église, ç'a été un trait de génie.

— Cette idée m'est venue grâce à vous. Lorsque vous avez téléphoné, j'étais dans la chambre de Lucienne. Je la regardais dormir, et je me demandais comment certaines mères parviennent à se détruire en compagnie de leurs enfants. J'essayais de découvrir cette affreuse recette.

« Quand je vous ai vu vous mêler à ces gens à la sortie de l'église, j'ai failli crier de désespoir.

— Dites-moi, vous avez dû parler de moi, lors de votre déposition ?

— C'est Ferrie qui en a parlé. Mais comme vous n'avez pas assisté à la découverte du drame, les policiers n'ont pas semblé y attacher d'importance…

— Ils vont revenir?

— Sans doute. J'ai eu droit à la famille et à des magistrats mal réveillés. Tout le monde avait trop bu et pas assez dormi. Un vrai cauchemar… Je pense que je serai tranquille jusqu'à midi. Il faut bien qu'ils dorment, tous, non?

— Vous étiez montée pour débarrasser cette pièce?

— Oui. Je dispose de très peu de temps pour le faire…

Elle attendait mon verdict. Mme Dravet n'avait pas exagéré en assurant que je tenais son destin dans ma main.

J'ai promené un regard désabusé sur la pièce. Ce n'était désormais plus pour moi une vraie pièce, mais un décor. Un décor reproduisant fidèlement le salon où s'était déroulée la tragédie.

— Qu'allez-vous faire de ces meubles?

— Le fauteuil va avec celui d'en bas. C'est celui que je suis censée avoir enlevé du salon pour laisser la place au sapin. Il suffit de le descendre dans une des pièces, à la salle à manger par exemple, où les policiers ne sont pratiquement pas entrés…

Je voulais ranger les bouteilles dans ma cuisine. Casser l'électrophone et le bar et les brûler dans l'énorme chaudière du chauffage central, ainsi que le sapin. Seul le canapé pourrait demeurer ici et j'ai confectionné moi-même des housses d'une autre couleur destinées à modifier radicalement son aspect…

— Très bien, ai-je décidé. On va s'y mettre !

Je savais bien qu'elle espérait mon silence, pourtant elle ne comptait pas sur mon aide et ma décision l'a plongée dans l'effarement.

J'ai regardé l'heure. Je me sentais très maître de moi. Ce meurtre était en soi une sorte de chef-d'œuvre auquel je voulais participer à ma façon.

Il était presque huit heures. Pouvions-nous espérer encore une heure de répit ?

Aidé de Mme Dravet, j'ai porté dans le monte-charge le fauteuil, le bar roulant, le pick-up et la table basse sur laquelle il se trouvait.

Nous avons déposé le fauteuil dans la salle à manger du premier étage ainsi qu'elle l'avait prévu. Puis nous avons gagné le sous-sol. Démanteler le bar, l'électrophone et sa table, était un jeu d'enfant. D'autant plus que nous n'avions pas à les briser menu, le foyer de la chaudière étant de dimensions importantes.

Lorsque tout a été bien brûlé et que les entrailles métalliques du pick-up n'ont plus été qu'un petit écheveau de ferraille noircie, j'ai rechargé la chaudière.

Nous étions rouges comme des crêtes de coq en remontant au second étage. Il nous restait encore à dégarnir le sapin des nombreuses babioles qui le décoraient et à le tronçonner pour pouvoir le brûler. Nous nous sommes mis au travail sans parler. Nous nous activions avec une hâte fiévreuse, étourdissante. Plus la pièce cessait de ressembler à celle du dessous, plus nous avions conscience de la précarité de ce sursis. À tout moment un policier pouvait venir et me découvrir chez les Dravet, ou bien vouloir visiter la maison de bas... en haut !

Elle a poussé une petite exclamation quand elle a découvert ma cage avec l'oiseau de velours. Elle la considérait d'un air de doute.

Je lui ai alors expliqué la provenance du sujet et elle s'est mise à pleurer. Assise sur le canapé, elle sanglotait convulsivement en serrant le fragile objet contre sa poitrine.

— Pourquoi pleurez-vous ainsi ? lui ai-je demandé quand elle a commencé à se calmer.

— À cause de vous, Albert. Je vous imagine, tout seul, achetant ça dans une boutique sans savoir ce que vous en feriez.

Elle était capable de préparer la mort de son mari pendant des semaines, capable de tirer une balle à bout portant dans la tête d'un homme endormi, et pourtant elle pleurait sur cet article de bazar qui symbolisait ma solitude.

— Je ne veux pas que vous le jetiez.

— Mais, vous ne pouvez l'accrocher dans l'autre arbre puisque les scellés sont apposés ?

— Je vais la suspendre au-dessus du lit de Lucienne.

« Je ne sais pas si une femme comme moi a le droit de croire à des porte-bonheur mais il me semble que cet oiseau en est un. J'ai l'impression qu'il protégera ma fille...

Elle est descendue sans plus attendre avec la cage de carton pailleté. Il me restait à ébrancher le sapin. Pour cela je suis redescendu à la cave. Lorsque j'ai commencé à le jeter dans le brasier, une épaisse fumée noire s'est dégagée. Chaque fois que j'ouvrais la porte de fonte, un gros nuage résineux s'échappait du foyer et me suffoquait.

Les sujets de verre entassés dans un petit carton ressemblaient à des œufs très précieux. Je les ai fourrés d'un coup dans la chaudière où ils ont éclaté avec un petit bruit de biscuit rompu.

J'ai balayé le sol de la cave, parsemé d'aiguilles vertes. Après quoi je suis remonté. Comme j'arrivais au seuil de la porte palière du premier, j'ai entendu parler Mme Dravet. J'ai cru qu'elle répondait au téléphone et je suis entré délibérément. À cet instant j'ai perçu une voix d'homme. J'ai voulu battre en retraite, seulement des pas retentissaient dans l'escalier. Je me trouvais pris entre deux feux. D'un côté il y avait le visiteur en grande conversation dans la salle à manger. D'un autre, les arrivants.

En face de moi, le « salon tragique » sur la porte duquel on avait écrasé de gros cachets d'une cire pareille à du sang séché.

J'ai joué mon va-tout. Sur la pointe des pieds j'ai gagné la porte qui faisait face à la salle à manger, c'est-à-dire celle de la chambre d'enfant.

Je crois qu'on ne peut pénétrer dans une pièce plus subrepticement, ni plus rapidement.

Une pénombre grise régnait chez la petite fille. Ma cage argentée se balançait au ciel de lit. Je percevais le souffle léger et régulier de Lucienne. Il y avait dans cette chambrette une touffeur émouvante.

À quelques centimètres de moi, des pas faisaient crisser le plancher. Des voix ronronnaient.

Quelqu'un allait sûrement finir par entrer. Je cherchais une cachette autour de moi, mais je ne trouvais rien. Excepté le lit et une petite armoire peinte, la pièce ne contenait que des jouets.

Fut-ce ma présence qui dérangea le sommeil de l'enfant, ou bien les allées et venues toutes proches ? Brusquement elle poussa un cri. Un cri semblable à une plainte aiguë, un peu bestiale.

J'avais subi trop d'émotions fortes au cours de la nuit. Ce cri entra en moi comme un bistouri dans une chair anesthésiée.

— C'est la petite qui se réveille, expliquait Mme Dravet à la cantonade.

Son pas approchait. Quelqu'un l'escortait.

Je me suis jeté derrière le mince rideau blanc du lit. Je devais déborder de part et d'autre. Encore une fois je mettais en pratique la politique de l'autruche.

La porte s'est ouverte. La femme est entrée. Un homme l'escortait, mais il demeura à la porte et ce fut ce qui me sauva. En s'approchant Mme Dravet me vit, et je pus mesurer à quel point cette femme savait se contrôler.

Elle ne s'arrêta pas, saisit l'enfant et sortit de la

chambre en s'interposant de son mieux entre la porte et moi.

Je suis demeuré seul dans la petite pièce où ricanaient des Donald en contre-plaqué.

Seul avec mon oiseau de velours bleu et jaune qui continuait de se balancer sur son perchoir.

11

LA TROUVAILLE

Lorsqu'ils sont partis j'avais pratiquement perdu la notion du temps, comme cette nuit dans la cabine du camion.

Je n'étais du reste pas certain qu'ils fussent tous partis. C'est Mme Dravet qui m'a renseigné. Elle s'est mise à chantonner de l'autre côté de la porte ce qu'elle avait à me dire afin de ne pas risquer d'attirer l'attention de l'enfant.

— *Ça y est ils sont partis.*

« *Je vais avec elle dans la cuisine,*

« *Allez dans la salle à manger,*

« *Ensuite je la recoucherai.*

De cette façon j'ai pu quitter la chambre sans

être vu de Lucienne. Un instant plus tard, sa mère me rejoignait.

Elle avait le regard très abattu.

— Vous avez eu aussi peur que moi ? ai-je balbutié en l'attirant sur ma poitrine.

Elle s'est pelotonnée contre moi dans un élan de total abandon. Elle n'en pouvait plus.

— Ils ont sonné, j'ai cru que vous aviez entendu de la cave et que vous vous y étiez caché.

— Je n'ai rien entendu du tout. Il s'en est fallu d'une fraction de seconde que je leur tombe dans les bras. Que voulaient-ils ?

— Procéder à des vérifications, m'ont-ils dit. Ils ont ôté les scellés et les ont reposés. J'ignore ce qu'ils ont pu faire au salon ; pendant que les uns s'y activaient, d'autres me questionnaient dans la salle à manger.

— À mon sujet ?

— En effet, ils ont fait allusion à vous. Mais ils m'ont surtout parlé de la maîtresse de mon mari.

— Que vous ont-ils demandé ?

— Sur vous, peu de chose : comment il se faisait que vous me connaissiez ; rappelez-vous ma sortie de la messe avec ces gens que vous avez abordés. J'ai dit que j'ignorais absolument tout de vous et que si vous m'aviez remarquée, la réciproque n'existait pas.

— Vous avez bien fait. Et à propos de la maîtresse ?

— Alors là ç'a été le gril. Ils voulaient savoir si j'étais au courant de cette liaison, enfin vous voyez.

— Je l'espère.

Je lui ai furtivement donné un baiser dans les cheveux.

— Ils ne sont pas montés ?

— Non.

— Dieu soit loué. Allons finir. Vous êtes certaine qu'ils n'ont pas laissé quelqu'un dans les bâtiments ?

— Je les ai raccompagnés jusqu'au portail et j'ai fermé celui-ci à double tour.

— Et la petite, l'ont-ils questionnée ?

— Absolument pas. L'un des inspecteurs m'a même demandé la permission de lui offrir un chocolat enveloppé dans du papier doré qu'il avait dans sa poche.

— Parfait. Montons.

*
* *

Il me semblait désormais que c'était un peu mon meurtre à moi. Je l'avais accepté, adopté.

Il ne restait plus qu'à mettre les housses au canapé du second et à balayer soigneusement. Je me suis chargé de cette ingrate besogne tandis que Mme Dravet, suprême raffinement, retournait les lourds rideaux de la fenêtre. Elle les avait doublés de blanc et, placés de ce côté-ci, ils achevaient de rendre la pièce neutre et vide.

— Où est la housse du canapé ?

— Sous les coussins !

Décidément, rien n'avait été laissé au hasard. J'ai ôté les coussins d'un geste sec. Effectivement la housse se trouvait là, soigneusement pliée dans le sens de la longueur. Mais en la saisissant, j'ai fait tomber quelque chose : une pochette en matière plastique du genre réclame, avec un côté transparent, destinée à recevoir une pièce d'identité. Elle contenait une carte grise de véhicule à moteur, établie pour la mise en circulation d'une camionnette Citroën immatriculée dans la Seine. Ce récépissé était fait au nom de M. Paul Ferrie, demeurant à Paris.

J'ai considéré le document d'un œil préoccupé.

— Qu'est-ce que c'est ? m'a demandé Mme Dravet.

Je lui ai tendu la pochette en simili croco.

— Cet idiot a perdu cette carte grise en se vautrant sur le canapé lors de son premier passage ici.

Elle ne bougeait pas et regardait la carte avec application, comme si elle lui posait un problème difficile à résoudre.

— Vous semblez consternée? ai-je murmuré, mal à l'aise.

— Je réfléchis.

— À quoi?

— Je pense que Ferrie va s'apercevoir de la disparition de cette pièce qui lui est nécessaire et qu'il va se demander où il a bien pu la perdre.

— Et alors?

Elle a tardé à répondre. C'était une fille appliquée qui pensait très à fond.

— Alors rien. Il viendra sûrement la chercher ici.

— C'est probable, mais ça ne présente aucun danger. Maintenant, regardez...

J'ai pris la housse et l'ai déployée sur le canapé. J'ai rentré les bords sous les coussins, puis je l'ai rabattue sur le dossier. Du genou j'ai refoulé le meuble au fond de la pièce. Maintenant elle faisait appartement en cours d'aménagement. Rien de commun avec le salon du dessous, sinon sa disposition et la couleur de ses murs.

Mme Dravet s'est reculée jusque dans le vestibule.

— Vous qui avez l'œil plus neuf que moi, pensez-vous que le doute puisse naître dans l'esprit de Ferrie, s'il venait ici?

J'ai fermé les yeux un instant, pour nettoyer ma rétine de toute image, puis je les ai rouverts sur le nouveau décor.

— Non, c'est absolument impossible. Le mimétisme ne venait pas de la forme de ce salon, mais du sapin, du bar, du phono. Je crois sincèrement que vous avez réussi le crime parfait, madame Dravet. Même si la police découvrait qu'il ne s'agit pas d'un suicide mais d'un meurtre, elle ne pourrait pas prouver que vous l'avez commis.

Elle tenait toujours la pochette de plastique et s'éventait la joue avec.

— Qu'allons-nous faire de ça?

— Donnez-la-moi, j'irai la perdre près de l'église.

— Vous croyez?

— Mais oui. C'est le genre d'objet qu'on porte toujours au commissariat, qu'on soit honnête ou qu'on ne le soit pas.

« Quelqu'un s'empressera de se faire une réputation de probité en restituant la carte.

Je l'ai fourrée dans ma poche. Maintenant il me restait deux choses difficiles à accomplir : prendre congé de Mme Dravet et sortir de sa maison sans risquer de me faire repérer par le flic qui éventuellement la surveillait.

— Il n'existe pas d'autres issues pour quitter l'atelier ?

— Dans la rue, une porte donne sur les bureaux.

— Pensez-vous que la police connaisse cette sortie ?

Elle a haussé les épaules.

— Si la police surveille les bâtiments, elle est au courant de toutes les issues, fatalement.

J'étais perplexe. Dans l'éventualité où une « planque » avait été établie, mon départ risquait de tout ficher par terre.

D'un autre côté, je ne pouvais plus m'éterniser aux Établissements Dravet !

— Il existe une troisième issue, a murmuré ma compagne après un léger temps de réflexion.

— Laquelle ?

— Une sorte de trappe par où l'on fait rouler les bobines de papier. Oui, voilà la solution. Il est impossible que les inspecteurs la connaissent ; elle est située dans une large impasse où les camions se rangent sans gêner la circulation. Venez…

J'ai regardé une dernière fois autour de moi. Il existe des dormeurs qui, en s'éveillant, regrettent leurs rêves, même si ces rêves furent des cauchemars. J'appartenais à ces dormeurs-là.

Nous avons emprunté l'escalier cette fois-ci. En passant sur le palier du premier étage, j'ai eu un temps d'arrêt qui était comme un adieu à la petite fille endormie.

Nous sommes allés dans les ateliers clairs, jonchés de rognures de papier. Ils sentaient bon le travail et au-delà de ma fatigue, j'ai senti s'éveiller en moi un grand désir d'œuvrer. Dès le lendemain je chercherais un emploi.

— Vous voyez, c'est par ici.

Un énorme verrou fermait la trappe. Celle-ci se trouvait en haut d'une rampe de ciment. Elle se composait de deux lourds volets de fer. J'en ai poussé un. L'ouverture ainsi ménagée me suffisait largement.

— Eh bien, voilà ! a-t-elle murmuré en me saisissant le bras : c'est la séparation. Je ne pense pas que le mot « merci » soit très convenable dans notre cas.

— Aucun mot n'est convenable. Ce qui s'est passé se situe dans un autre univers régi par d'autres lois.

Nous nous regardions avec une tristesse douceâtre qui nous faisait à la fois du mal et du bien.

— Je ne sais pas si nous nous reverrons, a-t-elle dit en fermant ses paupières.

— Je le souhaite, vous le savez bien, de toute mon âme.

— Je pense qu'il faut laisser s'écouler un peu de temps...

— Je le pense aussi. Vous savez où j'habite et je sais où vous habitez ; il n'y a pas de raison que nous ne nous retrouvions pas.

Je suis sorti de l'atelier sans ajouter un mot, j'ai rabattu le volet de la trappe. Il a fait un bruit ample, très vibrant en se refermant. J'ai entendu miauler le gros verrou et, à l'immense tristesse qui s'est abattue sur moi, j'ai compris que j'étais seul de nouveau.

12

LES IMPONDÉRABLES

Il n'y avait personne à l'embouchure de l'impasse. Personne non plus dans la rue. Nos craintes avaient été vaines et nos précautions superflues. La police acceptait le suicide.

Ce matin de Noël était sinistre ; gris avec une brise qui annonçait la neige. Le quartier semblait mort et les rares passants qui se hâtaient en rasant les murs pour se protéger du vent avaient des mines plus grises que le temps.

Je n'en pouvais plus. Je ne pensais qu'à dormir dans un lit tiède après m'être lavé. Mes louches travaux dans la cave de Dravet avaient achevé de me friper et de me ternir. Les vitrines me renvoyaient mon reflet et celui-ci n'était guère encourageant.

J'avais l'aspect pantelant et délavé des drapeaux qu'on voit au fronton des monuments publics.

À plusieurs reprises je me suis retourné, mais personne ne me suivait. Je me rappelle le vertige que m'a causé la longue perspective d'une avenue absolument déserte, aux arbres taillés à zéro qui ressemblaient à des moignons.

Cette fois-ci, j'ai trouvé ma maison moins navrante. Elle avait repris sa bonne figure guille-rette de jadis, celle qu'elle avait quand je rentrais de l'école.

J'ai cherché le pot de géranium sur le rebord de notre croisée. Il y avait encore le pot, mais plus de géranium. La plante avait dû mourir après maman, faute de soins.

Je me suis élancé dans l'escalier de bois. L'odeur d'eau de Javel et de vieux tapis poussiéreux ne m'a plus choqué. Je suis entré « chez nous », dans mon vieux logement grouillant de souvenirs. Il y en avait pour tous les états d'âme.

J'ai couru à l'évier afin de me laver, car c'était cela le plus urgent, mais en voyant le bec de cuivre mangé par le vert-de-gris, je me suis souvenu qu'il ne pouvait plus me fournir d'eau. Il valait mieux aller à l'hôtel. Seulement comme mon arrivée sans bagages et à une pareille heure aurait semblé suspecte, j'ai mis une chemise propre et un complet dans une valise. Maman avait placé mes vêtements dans des housses de plastique avec de la naphtaline afin qu'ils puissent attendre mon retour. Certes ils étaient démodés maintenant, mais j'étais heureux de les retrouver.

Je suis reparti, nanti de la vieille valise râpée dont l'un des fermoirs sautait à tout bout de champ. Je marchais rapidement, car j'avais hâte de trouver un gîte. J'allais m'offrir une chambre avec salle de bains. Je prendrais un bain très chaud, ensuite je m'étendrais nu dans le lit et je m'engloutirais dans un oubli bienveillant.

C'est en traversant la place de l'église que j'ai pensé à la carte de Ferrie que j'avais en poche. J'avais failli l'oublier. Je l'ai sortie subrepticement et l'ai laissée choir sur le trottoir, au pied d'un arbre. Comme j'allais poursuivre mon chemin, une voix m'a interpellé :

— Hep, monsieur ! Vous perdez quelque chose !

Je me suis retourné avec lenteur, agacé par l'importun. Ça me rappelait un film américain que j'avais vu en prison : l'histoire d'un type qui voulait perdre un objet sans y parvenir. C'était truffé de gags incroyables. Chaque fois qu'il abandonnait l'objet, une intervention extérieure l'obligeait à le récupérer. À la fin il se retrouvait chez lui, défaisait rageusement le paquet, et s'apercevait avec stupeur que ça n'était plus le même objet qu'au départ…

L'homme qui m'interpellait était assez corpulent. Il portait un loden noir, un chapeau gris aux bords gondolés et serrait entre ses dents un fume-cigarette vide.

J'ai feint la surprise.

— Moi ?

Il arrivait sur moi, ravi de rendre service à son prochain. On croit que la majorité des hommes est mauvaise, c'est faux, le monde est plein d'altruistes.

Il a ramassé lui-même la pochette.

— Je l'ai vue tomber de votre poche. C'est bien à vous ?

— Oh ! oui. Je vous remercie…

Je lui ai souri en tendant la main pour récupérer la carte grise. Mais au lieu de me la restituer, l'homme l'a glissée dans sa poche après y avoir jeté un bref regard.

Je ne réalisais pas très bien l'illogisme de son comportement.

Il retournait le revers de son loden. Une plaque de police a brillé d'un éclat fulgurant.

— Suivez-moi, Herbin.

Il fallait réagir, dire quelque chose.

— Je ne comprends pas.

— Justement, on va vous expliquer.

Il a levé le bras. Une voiture s'est approchée. Je n'ai pas vu d'où elle sortait. Sans doute suivait-elle le policier à distance. Il s'agissait d'une vieille Frégate aux ailes cassées. Un homme vêtu d'une canadienne et coiffé d'un petit chapeau de feutre vert à bord court la pilotait.

— Montez ! m'a enjoint le flic au loden.

— Mais, à quel titre. De quel droit ?

Il ne s'est pas perdu en explications. Il m'a seulement donné une bourrade dans le dos et je suis parti en avant dans l'auto. J'ai buté contre ma pauvre valise et me suis retrouvé à genoux sur le plancher au caoutchouc troué.

Le loden prenait place à mes côtés, se laissait tomber sur la banquette avec un vagissement d'aise. L'auto repartait.

Personne ne parlait. J'essayais d'y voir clair. M'avait-on suivi depuis chez Dravet ? J'étais certain que non. Absolument certain. Par contre je me rappelais maintenant avoir vu cette grosse auto noire stationnée en face de chez moi.

Oui, c'était chez moi qu'ils avaient organisé une « planque ». Heureusement !

Je devais comprendre l'objet de ces mesures policières si je voulais me sortir de ce mauvais pas. Ce n'était pas compliqué. Les inspecteurs avaient voulu retrouver « l'autre témoin », c'est-à-dire moi. Et cela avait été un jeu d'enfant puisque j'avais stupidement donné mon nom à Ferrie lorsque dans le faux salon nous nous étions présentés. De plus il savait quelle rue j'habitais. Ne lui avais-je pas fait stopper son auto presque devant chez nous ?

Au cours de ces dernières heures les flics avaient procédé à une petite enquête. Ils avaient appris qui j'étais et d'où je sortais.

Je m'exhortais au calme. Je voulais rester optimiste.

Ils allaient me demander où j'avais passé la nuit, et surtout où j'avais trouvé la carte grise de Ferrie.

La Frégate a stoppé devant un perron gris. Au-dessus de la porte pendait un drapeau pareil à ceux auxquels je me comparais un instant plus tôt.

— Avancez !

Un couloir administratif avec des agents indifférents qui parlaient entre eux de leur Noël, de leurs enfants.

Un bureau, des bancs de bois, des affiches, des

réflecteurs verts, une odeur d'encre, de papier moisi, de sueur…

— Asseyez-vous !

Excepté la bourrade de tout à l'heure, « ils » ne me brusquaient pas. Je continuais d'espérer fermement. Le danger, lorsqu'il est présent, effraie moins.

« Voyons, j'avais passé la nuit dans les bistrots du quartier. La plupart étaient bondés, ce qui expliquerait qu'on ne m'eût pas remarqué. Quant à cette fichue carte grise…

Eh bien, la carte grise, je l'avais trouvée dans l'auto de Ferrie. J'avais cru que cette pochette était tombée de ma poche et je n'avais découvert ma méprise que plus tard.

Il suffisait de maintenir mordicus ces allégations.

On ne pouvait rien contre moi.

Je me le répétais ardemment, comme pour m'en convaincre. Que j'en sois fermement persuadé moi-même et j'arriverais à me tirer de ce mauvais pas.

Je songeais à Mme Dravet. Je regrettais de ne pas lui avoir demandé son prénom, ç'aurait été plus commode pour penser à elle. Je n'avais jamais rencontré un être plus surprenant. Elle possédait une volonté farouche, une présence d'esprit stupéfiante, et pourtant je la savais faible et perdue. Nous étions de la même race, elle et moi.

L'inspecteur au loden racontait les jouets de ses enfants à un collègue qui roulait une cigarette cassée dans un second papier à bord gommé. Pour eux ce jour restait un Noël, malgré l'enquête en cours. Il y avait un arbre chez eux, des friandises, des lumières, de la joie, des cris d'enfants et ils apportaient un peu de tout cela dans ces sinistres locaux.

— Herbin !

L'autre inspecteur, celui qui avait une canadienne, me faisait signe d'entrer dans un bureau.

Un homme d'une cinquantaine d'années, affligé d'une calvitie comique qui lui faisait comme un crâne en carton, se tenait assis derrière un bureau ministre chargé de paperasses. Il avait un gros nez tout rond posé sur une touffe de moustache noire.

Il m'a désigné une chaise garnie d'un cuir rugueux, lacéré par des ongles.

— Albert Herbin ?

Il consultait un papier couvert de petites notes au crayon et parlait sans me regarder.

— Oui, monsieur.

— Libéré avant-hier matin de la prison des Baumettes ?

J'ai rectifié spontanément :

— Non : hier matin.

Et puis j'ai fait le calcul. La notion de temps s'était un peu brouillée pour moi à cause de ces deux nuits blanches successives.

— Excusez-moi, c'est vous qui avez raison : avant-hier.

— Vous êtes rentré de Marseille comment ?

— Par le train de nuit.

— Et depuis ?

J'ai haussé les épaules. Cette fois il me fixait. Il avait une tête paisible, des yeux tranquilles mais au fond desquels couvait une dangereuse lueur.

— Je suis rentré au domicile de ma mère. Et puis j'ai profité de ma liberté retrouvée.

— De quelle façon ?

— De la seule façon qui soit : en me baladant dans les rues, en entrant dans les bars, en regardant les nouvelles autos sorties pendant ma détention. En six ans, le monde change, vous savez. C'est dur de se mettre à jour.

— Vous êtes allé à la messe de minuit ?

Nous y arrivions. Il n'avait pas tellement envie de finasser.

— En effet.

— Pendant l'office, une dame s'est trouvée mal ?

— Oui… Mme…

J'ai fait mine de chercher.

— Drevet ou Dravet, non ?

— Oui.

Il a haussé le ton pour me lancer ce oui. Un oui provocant.

— Vous avez déclaré aux gens qui l'ont sortie de l'église que vous la connaissiez ?

— Absolument pas, j'ai dit que je savais où elle habitait, nuance !

— Et comment connaissiez-vous son domicile ?

— Très simplement. En me promenant dans le quartier je l'ai vue sortir de chez elle avec sa petite fille. Cela faisait six ans que je n'avais pas vu de femme ni d'enfant. Celles-ci étaient jolies, je les ai remarquées. Et dans l'église je les ai reconnues, voilà tout.

— Vous ne les auriez pas plutôt suivies jusqu'à l'église ?

— Non.

— Il paraît qu'à l'établissement pénitentiaire vous n'assistiez pas aux offices religieux.

— Et alors ?

— Et alors, rendu à la liberté, vous n'avez rien de plus pressé que d'aller à l'église ?

— Pour beaucoup de gens, une messe de minuit est un spectacle ! Et puis cette église est « mon » église. Je suis allé y chercher mon enfance…

Il a battu des paupières. Il comprenait très bien et je le sentais un peu dérouté, à cause de cette ambiance de Noël qui transformait un peu les êtres et les choses.

— D'accord. Ensuite ?

— J'ai raccompagné cette dame et son enfant avec un monsieur obligeant qui se trouvait là.

— Ensuite ?

Un faible bruit retentissait dans mon dos. J'ai regardé. Le type à la canadienne prenait des notes sur une grande feuille de papier.

— Nous avons escorté Mme… heu…

— Dravet !

Il n'était pas dupe et avait senti que mon hésitation était voulue.

— Mme Dravet jusque chez elle. Nous avons bu un alcool dans son salon pendant qu'elle couchait sa petite fille. Lorsqu'elle est revenue, elle a constaté qu'elle avait laissé son sac à main à l'église. Nous sommes alors repartis et j'ai demandé au conducteur de la voiture de me laisser à proximité de chez moi.

Il a saisi la pochette de plastique et l'a brandie.

— Et ceci ?

— Oh oui ? En repartant de chez Mme Dravet j'ai laissé tomber ma clé dans l'auto. Je l'ai ramassée et j'ai ramené ceci en même temps. J'ai cru que cela m'appartenait et…

Fausse route ! Je découvrais au fond des yeux de mon interlocuteur un éclat qui m'a stoppé.

Il ne me croyait pas ! Il avait, non pas l'impression, mais *la preuve que je mentais.*

— Vous prétendez donc avoir ramassé cette carte grise dans la voiture de M. Ferrie ?

— Oui.

— C'est bien réfléchi ?

— Oui.

Il y a eu un brusque relâchement dans toute sa personne plantureuse. Il s'est adossé à son siège et m'a fixé en souriant de façon insultante.

— Vous mentez, Herbin.

— Non.

Sa grosse main s'est abattue sur le cuir du bureau.

— Si ! Et je vais vous le prouver…

Se tournant vers l'inspecteur à la canadienne, il a ordonné :

— Faites entrer Ferrie.

L'homme au manteau de cuir a pénétré dans le bureau. Il avait toujours son manteau et il marchait en faisant des courbettes respectueuses. En me voyant il a eu un sourire aimable.

— Oh ! bonjour, monsieur Herbin. Quelle aventure, hein ?

Je suis resté immobile et il a considéré le commissaire avec étonnement. Le chauve brandissait la carte grise.

— Ah ! vous l'avez récupérée, s'est exclamé Ferrie. Vous voyez bien que j'avais raison !...

— Un instant, monsieur Ferrie, a tranché l'autre. Voulez-vous dire à M. Herbin où se trouvait votre carte ?

Ferrie a paru gêné.

— Oui, oh, c'est pas malin, mais cette nuit, tandis que nous étions chez Mme Dravet, j'ai caché cette carte sous le coussin du canapé, en douce. Je... On est des hommes, hein, Herbin, vous savez ce que c'est ? Je me disais que ça me ferait un prétexte pour revenir la chercher plus tard dans la nuit. Cette petite dame seule dans sa maison, ça pouvait être une aubaine, non ? Pour un type provisoirement seul…

« Comme vous étiez là, j'osais pas faire le joli cœur.

« Si j'avais pensé qu'elle allait d'elle-même demander à repartir et rester avec moi ensuite, évidemment je… Et surtout si j'avais pu me douter qu'au retour…

J'ai eu le courage de lui sourire. Mais je me sentais devenir glacé.

— En trouvant son mari mort, j'y ai plus pensé, à cette p… de carte. C'est après, de retour chez moi, en voyant ma camionnette au garage, que ça m'est revenu. Alors je suis venu expliquer le truc à ces messieurs…

Le commissaire a fait claquer ses doigts.

— Merci, monsieur Ferrie, vous pouvez disposer.

Interloqué, Ferrie est resté un moment la bouche ouverte. Puis il a fait un signe affirmatif et il est reparti à reculons.

Le commissaire a joint ses deux mains sur le bord du bureau.

— Voilà, Herbin.

— Je suis innocent ! ai-je crié de toutes mes forces.

— Vous n'êtes pas fort. Vous n'avez même pas joué la surprise quand Ferrie a parlé du mari mort.

J'ai dû avoir une expression comique, car il a éclaté de rire. Je n'en pouvais plus. Ce rire a achevé de m'anéantir.

— Vous avez noté, Blache ?

— Oui, monsieur le commissaire.

L'homme chauve s'est penché en avant. Son ventre replet s'écrasait sur son vieux sous-main de cuir. Son visage était à quelques centimètres du mien. J'ai eu une nausée, car son haleine sentait le café au lait.

— Écoutez bien, Herbin. Quand vous êtes partis de chez Dravet, tous les trois, la carte grise se trouvait sous les coussins du divan. Lorsque Ferrie et Mme Dravet sont rentrés, ils ont découvert un mort, M. Dravet, et n'ont touché à rien.

« Après la déposition de Ferrie, dans la matinée, mes hommes sont retournés là-bas pour fouiller le canapé : la carte grise n'y était plus. Conclusion : vous vous êtes introduit dans l'appartement de Mme Dravet pendant son absence. Vous saviez qu'il n'y avait que le bébé : l'occasion rêvée pour un homme sans ressources qui sort de prison.

« Seulement Jérôme Dravet est rentré pendant que vous exploriez son appartement. Il vous a menacé de son revolver. Vous l'avez désarmé et vous l'avez abattu d'une balle à bout portant. Au cours de la lutte les coussins du divan ont glissé et c'est en les remettant en place que vous avez trouvé la carte de Ferrie. Pourquoi l'avez-vous prise ? Réflexe stupide ; stupide et dangereux, puisqu'il nous permet de vous confondre.

Il parlait, parlait, sûr de lui et de ce qu'il avançait.

Je ne l'écoutais plus. J'étais retourné par la pensée dans l'étrange labyrinthe. *Maintenant il n'y avait plus qu'un salon chez les Dravet ! J'avais moi-même détruit les traces de l'autre.*

Je pouvais essayer de dire la vérité, mais je n'en avais pas envie. Cette vérité-là, comment arriver à la leur faire admettre ? Les cauchemars sont des choses personnelles qui deviennent ridicules lorsqu'on essaie de les raconter. Il faut les vivre, seulement les vivre...

J'en pensé à l'oiseau bleu qui se balançait au-dessus du lit-berceau de la petite fille. Je n'étais sorti de prison que pour acheter cette cage argentée. Un symbole ! On allait me remettre en cage. À moins que Mme Dravet, quand elle apprendrait mon arrestation...

— Dites-moi, monsieur le commissaire...

J'ai dû le faucher en pleine péroraison. Il était tout congestionné et tout ahuri en comprenant soudain que je ne l'avais même pas écouté.

— Quoi ?

— Comment se prénomme Mme Dravet, s'il vous plaît ?

Il m'a regardé, il a regardé son inspecteur, puis enfin un papier étalé sous ses yeux.

— Marthe ! a-t-il jeté d'une voix hargneuse.

— Merci.

Désormais il ne me restait plus qu'à me taire.

C'était à Marthe de décider.

FIN

Achevé d'imprimer en mars 2010
sur les presses de LITOGRAFIA ROSÉS

FLEUVE NOIR
12, avenue d'Italie
75627 PARIS Cedex 13

Dépôt légal : avril 2010
Imprimé en Espagne